이제는 빅 데이터 시대

윤형중 지음

비즈북스

목 차

머리말

사례 1. 부산에 사는 직장인 이영춘 씨. 갑자기 구글에서 '독감 예방접종 추천'이라는 메일을 받는다. 알고 보니 김 씨 인근에서 컴퓨터, 스마트폰을 이용하는 사람들이 자주 '감기', '독감', '발열', '기침', '병원' 등을 검색했던 것이다. 김 씨는 추천받은 대로 독감 예방주사를 맞았다. 그리고 집에 돌아가 보니 귀가하니 이미 아내가 독감에 걸려있었다.

사례 2. 중요한 계약을 따내기 위해 유럽 4개 국가로 출장을 가는 윤상현 씨. 독일어, 스페인어, 프랑스어는 물론 영어도 제대로 못하지만 통역사 한 명 데려가지 않는다. 그가 가져가는 것은 단지 스마트폰. 실시간 통역앱을 실행하면 상대방의 말을 바로 통역해준다. 심지어 '스페인 바르셀로나 00호텔 옆에서 11월 15일 점심 예약'을 입력하면 적당한 레스토랑들을 찾아서 가격과 메뉴를 한국어로 보여준다. 선택하면 예약은 완료된다.

사례 3. 액세서리를 사러 이대 앞을 방문한 김가인 씨. 스마트폰의 한 앱을 실행하자 이전의 구매이력을 바탕으로 좋아하는 스타일의 제품을 저렴하게 파는 가게들이 소개된다. 쇼핑을 하고 갑자기 파스타가 먹고 싶어졌다. 마찬가지로 반경 1km 안에서 친구들이 가장 많이 추천한 이탈리안 레스토랑을 방문한다.

사례 4. '서울 00동에 토네이도 발생'. 국가의 재난위기종합상황실에서 즉각 토네이도 발생 현장 반경 3km에 있는 모든 사람들에게 스마트폰으로 문자를 보낸다. 구호센터는 현장에 있는 CCTV, 위성사진, 사람들이 SNS에 올리는 정보들을 실시간으로 수집해 구조대를 급파한다. 스마트폰에서 지도앱을 실행하면 토네이도의 이동경로가 실시간으로 표시된다.

이 4가지 사례들은 먼 미래의 이야기가 아니다. 빅 데이터를 통해 머지않아 이뤄질 것들이다. 언제부터인가 빅 데이터라는 용어가 언론에 자주 오르내리기 시작했다. 각 분야의 전산화가 가속화되고 특히 스마트폰이 대중화되면서 디지털 데이터의 종류와 양이 폭증했기 때문이다. 어쩌면 조금 어려운 기술용어처럼 느껴지는 빅 데이터가 주목받는 이유는 미래를 내다보는 열쇠이기 때문이다. 엄청나게 쌓이는 데이터들을 어떻게 가공하고 활용하느냐에 따라 비즈니스 세계뿐 아니라 정부와 공공부문의 미래가 바뀔 수 있다. 이렇게 가능성과 잠재력이 크다고 하지만 정작 빅 데이터를 어떻게 활용해야 할지는 잘 감이 오지 않는다.

삼성경제연구소가 국내 211명의 경영자에게 물어본 결과도 비슷했다. 10년 내 빅 데이터 활용의 필요성에 대해 질문한 결과 97.2%의 경영자가 '그렇다'고 대답했다. 특히 '매우 그렇다'고 답한 비율이 전체의 76.8%에 달했다. 그러나 현재 데이터 관리의 장애 요인을 물었을 때 절반에 가까운 비율이 '데이터 분석 및 활용 기술에 대한 이해 부족'을 꼽았다.

데이터 분석 기술에 대한 이해보다도 더 중요한 것은 어떻게 빅 데이터를 가지고 실질적인 변화를 가져올 것인가이다. 그러기 위해선 독자들이 자신의 일과 삶에서 빅 데이터를 접목할 수 있는 '시각'을 접하는 것이 중요하다. 이를 위해 이 책은 빅 데이터가 이미 활용되는 사례를 다양하게 담았고 약간의 상상력을 동원해 새로운 비즈니스 모델과 공공기관 혁신 방안을 제시했다. 특히 이 책은 일반인 혹은 IT 분야에 대해 전문적인 지식이 없는 사람들을 위해서 쉽게 썼다. 덤으로 IT 분야에 대한 상식을 넓힐 수 있는 내용들도 담았다. 이 책이 단순히 트렌드 이해를 넘어 보다 많은 상상과 창의를 촉발시키는 촉매제가 되길 바란다.

1

왜 빅 데이터인가

빅 데이터, 왜 떴을까

요즘은 어디를 가든지 대부분 컴퓨터로 일을 한다. 은행에 돈을 입금하는 것부터 시작해 카페에서 커피 주문, 기사를 작성하는 것까지 컴퓨터를 거치지 않는 업무가 드물 정도다. 이렇게 컴퓨터로 일을 하면서 우리는 알게 모르게 정보를 입력하고 처리한다. 이 과정에서 무수히 생성되는 것이 바로 디지털 데이터 다.

데이터가 활용된 시기는 어제 오늘이 아니다. 그럼에도 요즘은 데이터 앞에 '빅 '이란 단어를 붙인 빅 데이터가 새로운 트렌드로 떠오르고 있다. 세계적인 IT 기업들을 비롯해 컨설팅 업체, 각국 정부에서도 빅 데이터 전략을 수립한다며 분주한 모습을 보이고 있다. 심지어 미래 비즈니스뿐 아니라 정부의 성패마저도 '빅 데이터 활용'에 달렸다고 주장하기도 한다. 영국의 경제주간지 「이코노미스트　　　」는 빅 데이터를 제대로 활용하면 전 세계가 직면한 환경, 에너지, 식량, 의료 문제를 상당 부분 해결할 수 있을 것이라고 전망했고, IT 분야의 리서치 및 자문 회사인 가트너　　는 데이터를 "미래 경쟁력을 좌우하는 21세기의 원유"라고 평가했다. 미국 대통령 과학기술자문위원회는 2010년 12월 오바마 대통령에게 업무보고를 하면서 "모든 미국 연방정부 기관은 빅 데이터 전략이 필요하다"고 강조했다. 도대체 빅 데이터가 무엇이고 우리 사회에 어떤 영향이 있기에 이처럼 주목을 받는 것일까?

빅 데이터는 말 그대로 엄청나게 큰 데이터를 의미한다. 과거와는 차원이 다른 양의 데이터를 지칭하고, 최근엔 양적인 의미를 벗어나 대규모 데이터의 분석과 활용을 포괄하는 용어로도 사용된다.

데이터가 갑자기 폭증하게 된 주된 원인으로 스마트폰이 가장 먼저 꼽힌다. 스마트폰을 통해 언제 어디서나 온라인 접속이 가능해지면서 사용자의 위치정보, 온라인 사용기록 등이 어딘가에 저장되기 시작했다. 특히 스마트폰이 불을 지핀 소셜 네트워크 서비스　는 사용자들의 일상생활, 생활의 단상, 의견, 취향 등 깨알 같은 기록을 온라인에 남겼다. 자신의 기록을 남길 뿐 아니라 콘텐츠를 소비하는 주된 플랫폼으로도 활용된다. 이미 많은 사람들이 SNS를 통해 지인들의 소식과 뉴스, 음악, 동영상 등의 콘텐츠를 소비한다.

페이스북 가입자는 빠르게 늘면서 이미 8억 명을 돌파했고, 2012년엔 10억 명 돌파가 확실시되고 있다. 이 사람들이 하루에 하나씩만 메시지를 남겨도 하루 10억여 건의 메시지가 생성된다. 3000만 명의 가입자를 확보한 카카오톡에서 하루 동안 전송되는 메시지도 10억 건을 넘어섰다. SNS는 점차 메시지 전달에서 콘텐츠를 소비하는 플랫폼으로 발전하고 있기 때문에 축적되는 데이터양은 더욱 커질 전망이다.

SNS 외에 스마트폰으로 인터넷에 접속해 검색하는 내용도 어딘가에 기록된다. 구글, 네이버 등의 검색엔진에 특정 키워드를 입력한 횟수 등은 해당 업체의 서버에 저장된다. 스마트폰에 탑재된 GPS 칩, NFC

숫자로 본 빅 데이터

하루 250경 바이트 데이터 생성

페이스북 가입자 8억 명 돌파

카카오톡 하루 전송 메시지 10억 건

모바일기기 1조 대 이상

M2M 센서 20억 대 이상

1분에 유튜브 동영상 60시간 분량 업로드

칩 등은 위치정보와 구매정보 등을 기록한다. 이젠 사용자의 허락만 받는다면 어디를 자주 돌아다니고 어떤 상품을 구매하는지도 알 수 있다. 이렇듯 스마트폰과 SNS는 이전에 수집되지 않던 엄청난 양의 정보를 모으는 도구가 됐다. 이는 빅 데이터라는 키워드가 부상하게 된 가장 중요한 요인이다.

스마트폰, SNS의 대중화 외에 데이터가 폭증하는 이유는 또 있다. 바로 모든 영역의 전산화가 가속화되고 있기 때문이다. 기업과 공공기관, 비정부기구 등 조직이 있는 모든 곳에서 전산시스템의 도입은 필수가 되고 있다. 하다못해 컴퓨터 한 대는 있어야 일을 할 수 있다. 특히 기업에서 재고와 공급망 관리 혹은 생산비용을 줄이기 위해 업종을 막론하고 전산장비를 적극적으로 도입했다. 오늘날 은행의 전산망이 마비된다면 예금, 대출 등 모든 업무가 마비될 정도로 크게 의존하고 있다. 패션 업체 자라 [illegible] 는 판매처의 수요를 즉각적으로 파악해 재고관리, 생산주문에 활용한 결과 세계적인 업체로 성장했다. 심지어는 야구와 같은 스포츠에서도 기록과 팀 전력을 데이터로 만들어 관리하는 기법이 인기를 얻고 있다. 모든 업무가 전산화되는 트렌드는 정부도 예외는 아니다. 정부의 공공서비스는 물론 공공정보 역시 전산화된 시스템으로 수집, 관리되고 있다.

용량이 큰 멀티미디어 콘텐츠의 증가도 데이터가 늘어나

는 원인이다. 구글의 유튜브에 업로드 되는 동영상은 2007년 1분에 6시간 분량이었지만, 2010년엔 1분에 24시간 분량이 됐다. 2012년 초에는 1분당 60시간 분량의 동영상이 업로드 되는 등 멀티미디어 콘텐츠가 폭증하고 있다. 향후 LTE 등 4세대 통신망이 대중화되면 동영상 서비스가 빠른 속도로 활성화될 것이라고 전망된다. 이렇게 되면 멀티미디어 콘텐츠의 양도 훨씬 늘어나게 된다.

빅 데이터가 부상하는 마지막 배경은 기기 간에 정보를 주고받는 사물지능통신 센서의 증가다. CCTV, 기상관측기, 오염측정기 등 이미 전 세계에서 사용되는 M2M 센서만 3000만 개에 달한다. 고속도로 CCTV는 교통량을 측정하고, 인공위성의 관측 장비는 기상을 예측하는 용도로 활용된다. 향후 M2M 센서는 의료기기를 비롯해 가축, 차량 등에 부착·탑재될 예정이기 때문에 그 수가 폭발적으로 늘어날 전망이다.

잠깐! ◆ **빅 데이터 부상의 배경**

- 모바일, SNS 대중화
- 모든 영역의 전산화 심화
- 멀티미디어 콘텐츠의 증가
- 사물 간 통신센서의 증가

빅 데이터의 특성은 스티브 밀스 IBM 총괄사장이 명쾌하게 설명했다. 그는 빅 데이터의 특성을 '3V'로 요약했다. '다양한 ' '다량의 ' 정보가 '실시간에 가까운 속도 '로 흘러들어 온다는 의미다.

빅 데이터를 세는 단위도 이전과 다르다. 과거 데이터가 많다고 하면 기가바이트 의 1000배인 테라바이트 를 연상하는 것이 보통이었다. 하지만 최근에는 테라바이트를 넘어 페타 , 엑사 , 제타 바이트까지 등장하고 있다. 제타바이트는 기가바이트보다 1조 배 큰 단위다. 2003년까지 생산된 정보가 5엑사바이트에 달하는데 반해 2010년에만 1.2제타바이트의 정보가 생산된 것으로 추정된다. 2020년에는 연간 생성되는 데이터가 35제타바이트로 늘어날 전망이다.

빅 데이터에 담기는 정보는 종류를 가리지 않는다. 일단 개인에 대해서는 거의 모든 정보가 담긴다고 보면 된다. 개인이 온라인에 흔적을 남기는 파편화된 정보를 종합하면 누가, 언제, 어디서, 무엇을 했는지가 대부분 파악된다는 의미다. 우선 스마트폰에 탑재된 GPS칩은 사용자의 위치정보를 기록한다. GPS를 사용하는 앱을 실행하면 위치정보가 앱을 만든 업체에 전송된다.

구글, 네이버, 다음 등 검색엔진에 입력한 검색어도 해당 업체의 서버에 저장된다. 심지어는 살인사건의 수사에 검색어가 활용되기도 한다. 2011년 5월 부산에서 아내를 살해한 혐의로 구속된 모 대학교수는 포털사이트에서 '사체 없는 살인'이란 검색어를 입력한 흔적이 발견돼 용의선상에 올랐다. 또한 스마트폰과 태블릿PC, 일반PC로 방문한 웹사이트의 주소, 열어본 웹페이지 등도 해당 기기에 저장된다. 신용카드로 결제한 금액은 바로 카드회사로 전송되고 교통카드로 어느 역에서 버스나 지하철을 탔는지도 기록된다. 향후 스마트폰에 탑재된 NFC칩으로 인해 모바일 결제가 활성화되면 구매기록마저 통신사나 구글, 애플과 같은 업체에 쌓이게 된다.

SNS를 통해서는 개인의 일상생활이 담긴다. 개인이 노출하는 정도에 따라 소소한 일상에서부터 직무, 정치적 성향, 결혼 여부, 종교, 교우관계, 특정 브랜드와 제품에 대한 선호도 등이 기록으로 남는다. 심지어 한 국가의 국민이 페이스북에서 '좋아요'를 선택한 글과 콘텐츠를 분석하면 각국 국민들의 의식구조와 정치적 성향까지도 파악할 수 있다는 말이 나오고 있다. 검색엔진에 입력되는 키워드, 트위터에서 리트윗이 많이 되는 내용 등을 분석해도 마찬가지 결과를 얻을 수 있다.

데이터 활용하려면 분석능력 필수

데이터의 양이 폭발적으로 늘어나면서 주목받는 것은 활용능력이다. 데이터를 아무리 많이 수집해도 활용하지 않으면 꿔다 놓은 보릿자루에 불과하다. 과거엔 너무 많은 데이터를 보유하고 있으면 정보처리 속도가 느려지기 때문에 업무 효율이 떨어졌다. 하지만 컴퓨터 하드웨어의 성능이 획기적으로 개선되면서 빅 데이터의 처리가 가능해졌다. 데이터를 직접 처리하는 CPU의 성능은 대략 18개월마다 2배씩 향상되고 있다. 이 경험칙을 인텔의 공동설립자 고든 얼 무어 가 정리한 것이 바로 무어의 법칙 이다. 요즘엔 무어의 법칙대로 18개월이라기 보단, 그 기간이 더 빨라지고 있다. 데이터를 저장하는 메모리의 용량은 황창규 삼성전자 전 사장이 선언한 것처럼 황의 법칙 에 따라 1년여 만에 2배씩 증가해왔다. 최근 들어 무어의 법칙과 황의 법칙이 숫자 그대로 맞아 떨어지지는 않지만 칩의 크기가 소형화,

하드웨어 기술의 발전

무어의 법칙 - CPU의 성능은 대략 18개월마다 2배씩 향상

황의 법칙 - 메모리의 용량은 1년여 만에 2배씩 증가

집적화는 지속되고 있다. 이로 인해 모바일 기기가 활성화됐고, 기존 컴퓨터의 능력도 향상돼 과거에는 감당하기 어려웠던 데이터들을 수집하고 처리할 수 있는 능력을 확보하게 됐다.

하드웨어 성능뿐 아니라 네트워크와 소프트웨어의 발전도 큰 역할을 했다. 과거엔 기업의 규모가 커지면 처리하는 데이터양이 늘어나기 때문에 서버 증설이 필수적이었다. 지금도 서버 증설은 이뤄지고 있지만, 상당수 데이터 수요를 클라우드 서비스를 통해 감당하고 있다. 클라우드 서비스란 네트워크, 즉 인터넷선을 통해 다른 곳의 컴퓨터를 빌려서 사용한다는 개념이다. 클라우드라는 개념이 화두로 떠오르게 된 배경에도 빅 데이터의 역할이 컸다. 과거 구글이 맵리듀스 와 같은 대규모 용량의 데이터에서 의미 있는 정보를 추출하고 분석하는 소프트웨어를 제작했다. 다량의 데이터, 다양한 정보, 실시간 처리가 가장 필요한 분야는 인터넷 검색이다. 구글이 빅 데이터를 처리하기 위해서 맵리듀스를 제작한 것은 필연적 결과물이라고 할 수 있다. 그리고 이것을 가지고 전 세계의 프로그래머들과 인터넷, 데이터 업체들이 달라붙어 하둡 이라는 빅 데이터 분석기술을 개발했다. 이 기술은 지금도 진화 중이다.

이처럼 하드웨어, 소프트웨어, 네트워크라는 3박자가 갖춰지면서 이제는 빅 데이터에서 어떤 정보를 뽑아낼 것인지, 그 정보를 어떻게 가공해 경제적 부가가치를 창출할 수 있을지가 중요해졌다. 하지만 뚜렷한 목적 없이 빅 데이터에 접근하면 별 성과가 없을 수 있다. 예를 들어 한 금융지주사가 빅 데이터 열풍이 불고 있다고 해서 SNS 분석을 시도한다면 원하던 결과를 얻지 못할 가능성이 크다. 금융 상품이 SNS에서 회자되는 경우는 아주 특별한 경우를 제외하면 그리 많지 않기 때문이다. 하지만 생각을 조금만 바꾸면 금융권에서 빅 데이터를 가지고 해볼 만한 일은 많다. 특히 증권, 보험, 카드 등에서 소비자들의 정보를 수집해 맞춤형 상품을 만든다면 상당한 이익을 얻을 수 있다.

그렇다면 빅 데이터를 가지고 무엇을 할 수 있을까? 할 수 있는 일은 무궁무진하다. 소비자들의 숨은 수요를 찾아서 원하는 서비스나 상품을 출시할 수 있고, 업무방식을 개선할 수도 있다. 현황을 가장 빨리 파악해 미래를 예측하거나, 기업과 제품의 평판을 관리하는 것에도 활용된다. 이전에 없던 서비스와 기술도 등장한다. 애플의 인공지능 음성인식 서비스인 시리 , 구글의 실시간 번역 등도 빅 데이터 분석을 통해 세상의 빛을 본 신기술이다. 정부 영역에서도 기존의 데이터를 분석하면 공공서비스를 혁신할 수 있다. 보다 정교한 물가산정시스템을 만들 수 있고 보다 빠른 긴급재난 방재시스템 등이 가능하다.

빅 데이터가 더 잘 활용되기 위해 선행되어야 할 것들도 있다. 바로 데이터 공유 시스템을 만드는 것이다. 데이터가 수집되는 동시에 필요한 사람들과 공유하는 시스템을 만들면 활용 가능성이 더 커진다. 쉽게 표현하면 서울시와 경기도의 시내, 시외버스 정보를 실시간으로 공유하는 시스템을 만들면 이를 활용해서 어떤 학생이 정류장별로 버스가 언제 오는지를 스마트폰 앱으로 만들 수 있다. 실제로 이렇게 만들어진 앱이 당시 고등학교 3학년생 유주완 군이 만든 '서울버스'다. 서울시가 직접 스마트폰 앱을 만들지 않아도 한 고등학생이 앱을 만든 것처럼 정보를 특정 기업과 정부의 한 부서가 가지는 것과 공유의 범위를 넓히는 것은 가능성의 차이가 크다. 하지만 무턱대고 아무에게나 정보를 공유할 수는 없다.

그렇다면 데이터의 공유 범위는 어느 정도가 되어야 할까? 사실 가장 이상적인 방식은 모든 사람에게 공개하는 오픈 플랫폼 이다. 이를 잘 실천한 서비스가 구글 트렌드 다. 구글은 검색 데이터를 모아 검색어 빈도수를 공개하는 별도의 웹사이트를 운영하고 있다. 이 사이트에 들어가면 특정 검색어가 특정 지역, 기간에 얼마나 자주 검색됐는지를 파악할 수 있다.

구글트렌드에 '아이폰'과 '갤럭시'를 입력해보면

예를 들어 미국 오하이오 주에서 2011년 하반기 6개월 동안 '추신수', '갤럭시S2', '아이폰4S'가 구글에서 얼마나 자주 검색됐는지를 알 수 있다. 이런 정보는 이런 시스템이 구축되기 이전에도 구글의 서버 내에 축적되어 있었다. 하지만 구글은 이를 실시간으로 검색하고 공유할 수 있는 시스템을 서비스로 만들어 인터넷에 공개했다. 덕분에 많은 연구자들과 사업자들은 구글에 따로 자료를 요청할 필요 없이 언제나 해당 웹사이트에 접속해 원하는 정보를 찾을 수 있다. 특히 많은 마케터들은 특정 브랜드와 상품명이 얼마나 자주 검색됐는지를 바로바로 파악할 수 있다. 특정 지역에서 '아이폰'과 '갤럭시'의 검색빈도만 파악해도 그 인기를 짐작할 수 있다.

구글처럼 정보를 모두에게 공개하면 좋지만, 모든 기업에 적용하기는 어렵다. 기업이 보유한 정보는 때때로 경쟁기업에 알려져선 안 되는 핵심 경쟁력이기 때문이다. 이 경우 공유의 범위를 제한해야 한다. 하지만 공유범위를 떠나서 데이터를 수집하는 동시에 공유하고, 원하는 정보를 뽑아낼 수 있는 시스템을 갖추는 것이 최우선이다. 이런 공유 플랫폼은 기업 밖의 외부인들뿐만이 아니라 기업 내부의 직원들에게도 매우 용이하다. 따라서 공유의 범위를 어디까지로 정해야 할 것인가에는 여러 이견이 있지만, 데이터의 수집과 동시

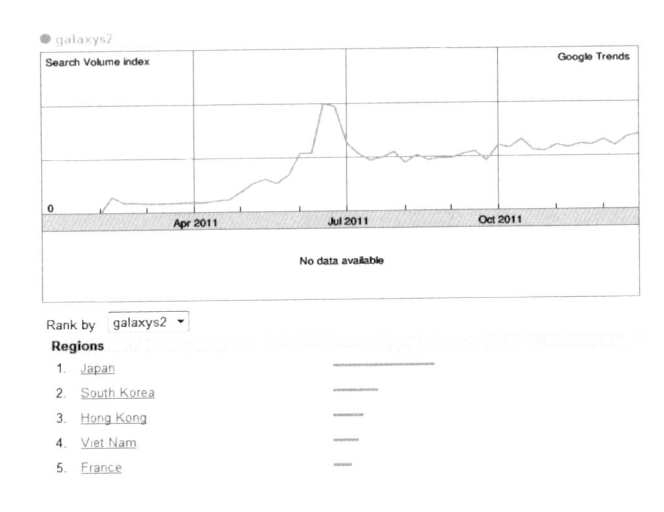

에 활용할 수 있는 공유 플랫폼을 갖춰야 한다는 의견에는 대부분의 데이터 전문가들이 동의하고 있다.

이런 시스템이 기업에 적용되면 무수한 업무혁신이 이뤄지고 새로운 비즈니스가 창출될 수 있다. 정부 역시 공공부문의 각종 서비스에 정보를 수집과 동시에 공유, 활용하는 시스템을 구축하면 많은 공공부문의 개혁과 동시에 새로운 서비스를 탄생시킬 수 있다. 이런 시스템을 잘 만들면 국민의 세금이 엉뚱한 데 쓰이는 것을 막을 수 있고, 병원의 처방전 정보를 실시간으로 감시해 리베이트 근절에 활용할 수도 있다. 이 외에도 행정과 정부 운영의 투명성을 높이는데 큰

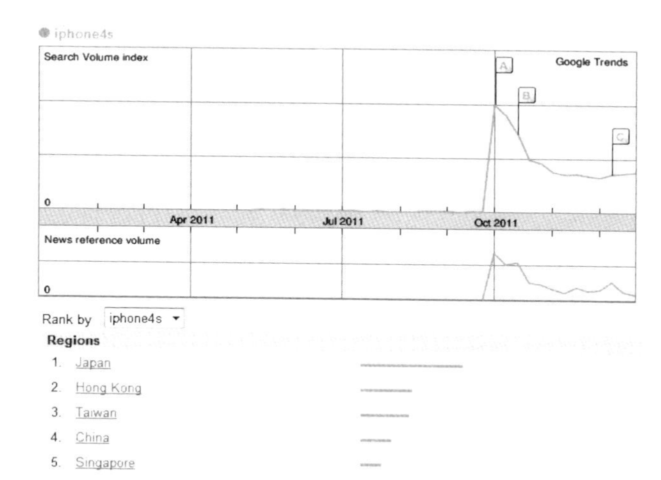

역할을 할 수 있다. 또한 공공정보를 활용한 새로운 비즈니스가 나오고 결국 창업을 유도하는 데도 도움이 된다. 심지어는 중립성, 독립성, 불편부당과 공정성이 요구되지만 늘 의심받는 검찰을 개혁하는 데도 빅 데이터 공유시스템이라면 가능할 수 있다. 조금 과한 주장이라고 생각할 수 있지만 충분히 가능한 아이디어다. 이에 대해서는 3장의 '서울버스 사건이 알려준 정부2.0' 부분에서 좀 더 자세하게 설명하도록 하겠다.

사실 정부 영역에서는 민간 영역보다 전향적으로 오픈 플랫폼 구축을 고려해볼 만하다. 정부는 수익을 추구하는 집단이 아니라 세금으로 운영되고 공공복리를 추구하기 때문이다. 따라서 데이터, 즉 공공정보를 독점할 이유가 없다. 과거엔 공공정보를 얻기 위해서는 신청을 해야 받아오는 방식뿐이었다. 개인에 대한 호적등본이나 부동산에 대한 등기부 등본마저도 신청을 해야만 열람할 수 있었다. 행정부가 정책을 집행한 결과나 언론이 궁금한 정보 등도 공식적으로 '정보공개 청구'를 해야만 볼 수 있었다. 하지만 빅 데이터와 정보공유 플랫폼의 관점으로 공공정보를 접근하면 공공정보는 '신청해야만 열람할 수 있는 것'이 아니라 '수집과 동시에 플랫폼에 올려진 것'이 된다. 물론 정보의 성격에 따라 공유절차와 공유범위를 따로 정할 수 있지만 바로 활용이 가능하도록 플랫폼에 올려진 것과는 큰 차이가 있다. 개인적인 견해로는 안보, 치안의 우려가 있는 정보를 제외한 여타 공공정보를 수집과 동시에 공유하도록 시스템을 만들면 무수한 민간 사업자가 참여하고 새로운 비즈니스가 창출될 수 있을 것이라고 본다. 심지어는 항상 난제인 혈세낭비도 빅 데이터를 통해 막을 수 있다. 이런 시도들은 아직 이뤄지지는 않지만 국내외 연구기관들을 중심으로 연구가 이뤄지고 있다.

호주, 영국 정부 등은 이미 공공부문의 빅 데이터를 수집, 공유하는 프로젝트를 '정부2.0'이라는 이름으로 진행하고 있다. 공공정보가 민간에 의해 실시간으로 공개되고 이를 활용한 정책과 프로젝트가 더 활발히 진행된다면 그 혜택은 무궁무진하다. 경제적인 부가가치 창출뿐 아니라 민주주의 발전에도 기여할 수 있다.

IT insight 오픈 플랫폼의 위대함

이 책에서 많이 등장하는 단어가 플랫폼이다. 빅 데이터를 수집과 동시에 공유·활용하는데 오픈 플랫폼의 아이디어를 차용할 필요가 있다는 것을 앞서 강조했다. 그렇다면 플랫폼이라는 단어가 IT 업계에서 자주 회자되는 이유는 무엇이고, 오픈 플랫폼은 어떤 영향을 주었을까?

플랫폼이란 어원을 살펴보면 '평평한 땅의 모양(Plat+Form)'을 의미한다. 이 단어는 이전에도 있었지만 기차가 등장한 후 사람들이 기차를 타고 내리는 평평한 땅을 플랫폼이라고 불렀고, 온라인에서 사용되면서 다양한 의미를 내포하기 시작했다.

온라인에서 플랫폼의 의미를 한 마디로 설명하기 어렵지만 '서비스가 이뤄지는 유·무형의 공간'이라고 표현하면 어느 정도 들어맞는다. 예를 들어 애플의 플랫폼, 구글의 플랫폼에서 그들이 제공하는 서비스가 이뤄진다. 네이버와 페이스북 역시 하나의 플랫폼이다. 카카오톡은 처음 메시지만 주고받았을 때에 커뮤니케이션 플랫폼이었지만 이제는 상품의 광고와 판매가 이뤄지는 마케팅 플랫폼으로 진화하고 있다.

IT 업계에서는 플랫폼의 개방성 정도를 경쟁력으로 삼는 경우가 많다. 가장 먼저 가능성을 보여준 서비스는 운영체제였던 리눅스 였다. 마이크로소프트가 독점하는 개인용 컴퓨터의 운영체제에 대항해 전 세계 개발자들이 소스 코드를 공유하며 만든 리눅스는 오픈 플랫폼이 서비스를 만들고 활성화하는데 중요한 성공요인이라는 것을 증명했다. 이후 IT 전 분야에 걸쳐 성공한 서비스, 콘텐츠는 상당수 오픈 플랫폼에서 제작됐다.

예를 들어 네이버 지식iN 서비스가 성공할 수 있었던 비결은 모든 콘텐츠를 네이버의 직원이 만든 것이 아니라 네이버는 플랫폼을 제공하고, 사용자들이 직접 콘텐츠를 만들도록 했기 때문이다. 스마트폰 혁명을 불러일으킨 애플의 앱스토어, SNS 열풍을 가져온 페이스북도 마찬가지다. 애플이 직접 앱을 만들려고 한 것이 아니라 앱스토어라는 장터를 열어놓고 유수의 IT 업체부터 아마추어 개발자들까지 앱을 만들도록 했다. 그 업체들은 이 장터에서 앱을 판매하고 소비자들에게 인기를 얻으면 자연스레 돈을 벌게 된다. 페이스북은 사용자들이 콘텐츠를 쉽게 공유하는 플랫폼일 뿐만이 아니라 개발자들이 앱을 만들어 쉽게 등록할 수 있는 오픈 플랫폼이다. 페이스북에는 소셜 게임을 비롯해 이미 70만여 개의 앱들이 등록되어 있다.

오픈 플랫폼이라는 공간은 특정 기업이 점유하고 독점하는 공간이 아니라 전문가와 일반인이 자유롭게 상호작용하고 때로는 협업이 이뤄지는 곳이다. 이들의 상호작용과 경쟁을 통해 다양하고도 완성도 높은 콘텐츠가 만들어진디. 그렇기 때문에 요즘 온라인 비즈니스에서 오픈 플랫폼의 의미와 중요성을 모르면 성공하기 힘들다고 해도 과언이 아니다.

세계적인 IT 업체들은 일찌감치 '오픈'의 가치를 가장 중요시했다. 구글은 검색된 결과를 클릭하면 해당 사이트로 바로 연결해주는 아웃링크로 오픈의 가치를 실천해왔다. 이로 인해 중소, 벤처 인터넷기업과 구글이 상생하고 함께 발전하는 인터넷 생태계를 구축했고 이것이 국내 포털들과의 가장 큰 차이점이다. 페이스북 역시 다른 웹사이트의 콘텐츠를 '좋아요', '공유' 등을 통해 다른 사람들에게 알릴 수 있도록 했고, 게임 업체나 위치정보 사업자에게도 플랫폼을 개방하고 있다.

최근 한국의 IT 서비스가 눈에 띄게 외산 서비스에 밀리는 것은 이런 오픈 플랫폼을 도외시한 결과라는 지적도 있다. 네이버, 싸이월드만 봐도 구글, 페이스북에 비해 훨씬 폐쇄적으로 운영된다. 폐쇄적인 서비스가 개방적인 서비스를 이기지 못하는 이유는 간단하다. 때론 능력 있는 개발자들이 소비자들의 호응을 얻을 만한 서비스와 콘텐츠를 만들 수 있지만, 결국엔 무수한 사람들이 참여해 만들어내는 다양하고 풍성한 콘텐츠를 당해낼 수 없기 때문이다. 소프트웨어를 제작하는 최고의 방식도 오픈소스라고 인정받고 있다. 이처럼 오픈 플랫폼은 콘텐츠를 만들어내는 최고의 방식이라는 데에 이견이 없는 상황이다. 빅 데이터를 제대로 활용하기 위해서도 오픈 플랫폼에 대해 제대로 이해할 필요가 있다.

2

빅 데이터의 활용

데이터로 미래를 예측한다

과거 독감예보를 하는 주체는 정부가 운영하는 보건기구나 대형 의료기관이었다면 최근엔 구글이 전 세계 독감 확산 현황을 알린다. 구글이 운영하는 독감예보 홈페이지

접속하면 전 세계 독감 확산 현황을 알 수 있다. 주변 지역에 독감이 퍼지면 미리 예보도 한다.

구글은 독감 증상이 있는 사람들이 늘어나면 기침, 발열, 몸살, 감기약 등 관련 어휘가 검색되는 빈도가 늘어나는 사실을 발견했다. 이를 통해 시간별, 지역별 독감 관련 검색어 빈도를 지도에 표시했다. 이 방식은 단순히 독감의 확산정도만 파악하는 것이 아니었다. 독감이 확산되는 방향에 따라 예보도 한다. 지난 2009년 2월 구글은 미국 대서양 연안 중부지역에서 독감이 확산될 것이라고 정확히 예측해 화제를 모았다.

이는 미국 질병통제예방센터 보다도 2주 빠른 예보였다.

사람들이 검색창에 입력하는 단어를 분석하면 재미있는 결과를 얻을 수 있다. 이 책을 읽는 독자들도 자신이 그동안 언제 무슨 검색어를 입력했는지를 되돌아보면 다양한 맥락과 상황을 읽을 수 있을 것이다. 평소 관심사를 검색하는 경우도 있고 지금 당장 화제를 모으는 이슈를 검색할 수도 있다. 심지어는 한 국가의 검색어를 분석하면 그 나라 국민들의 의식구조를 엿볼 수 있다. 사람은 대개 생각하는 대로 행동하는 경향이 있다. 따라서 인터넷 검색창에서 어떤 단어가 많이 검색됐는지를 확인하면 사람들의 머릿속을 파악할 수 있고, 결국 사람들의 행동을 읽어 미래를 예측할 수 있다. 이런 시도는 이미 해외에서 활발하게 이뤄지고 있다.

경제학 교과서 저자로 유명한 할 배리언 UC 버클리 대학교 경제학과 교수는 구글에서 검색된 단어의 빈도를 통해 경제지표를 미리 예측할 수 있다고 주장한다. 할 배리언 교수가 구글의 최현영 연구원과 함께 작성한 논문에 따르면 특정 상품의 판매량과 구글에서 검색된 빈도는 상당한 상관관계가 있었다. 예를 들어 포드의 경차 판매량과 검색된 빈도수는 거의 정확한 비례관계가 존재했다. 해당 제품의 검색 빈도를 통해 관심도 등을 파악할 수 있고 이런 통계가 결국 판매량 예측에도 활용될 수 있다는 의미다. 심지어 관광객 숫자마저도 예측이 가능하다. 미국, 영국, 호주, 인도 등지에서 '홍콩'을 검색한 빈도는 이들 국가로부터 홍콩을 찾은 방문객 수와 비례했다. 이처럼 빅 데이터를 분석하면 경제지표가 발표되기 전에 어느 정도 예측이 가능하다. 경제통계는 짧아도 월별, 분기별로 발표되는데 반해 빅 데이터를 통한 분석은 소비자들의 행동변화가 실시간으로 파악되기 때문이다.

빅 데이터로 헤지펀드 운용, 대통령선거 예측도 가능

헤지 펀드 매니저 다니엘 엠 은 구글의 검색빈도수를 펀드 운용에 활용한다. 그가 발표한 자료에 따르면 구글에서 '주식시장의 붕괴'가 가장 많이 검색된 시기가 2009년 9월 8일부터였다. 실제로 S&P지수는 일주일 후인 9월 15일 1255포인트에서 폭락하기 시작해 보름만인 9월 29일 1099포인트까지 떨어졌다. 즉 실제 사건이 발생하기 일주일 전부터 징후가 있었다는 의미다. 부동산 시장의 거품도 구글 검색어를 통해 그 징후를 파악할 수 있었다. 주택 판매수량이 정점에 달했던 시기와 '주택시장 거품 '이 자주 검색되는 시기는 거의 일치한다. 그 시기가 지나면 부동산 가격은 하락세를 보였다.

빅 데이터를 분석한 결과로 금융상품에 투자하는 헤지펀드도 등장했다. 조한 볼렌 , 후이나 마오 인디애나 대학교 컴퓨터공학과 교수는 헤지펀드 더웬트 캐피털 마켓츠 의 펀드매니저 폴 호틴 과 함께 운용자금 4000만 달러 규모의 펀드를 조성했다. 이 펀드는 SNS 상에서 감지되는 금융시장의 분위기를 통해 투자를 결정한다. 이들은 트위터의 분위기가 주식시장에 어떤 영

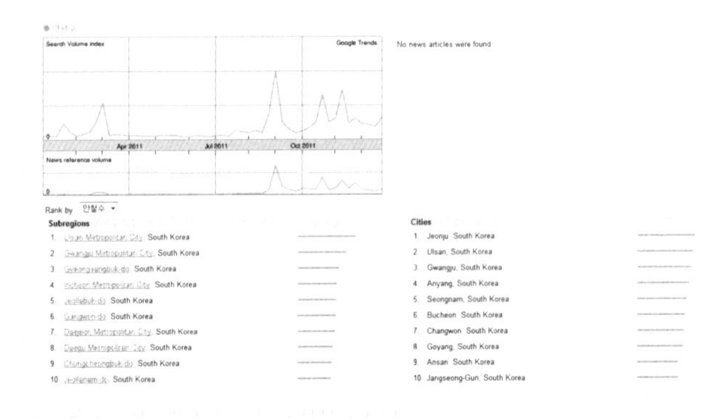

향을 주는지를 계량적으로 분석한 논문을 선보이기도 했다.

심지어 검색빈도수로 대통령 선거 예측도 가능하다. 2007년 한국의 대선 결과는 각 후보의 득표수와 구글에서 해당 후보들이 검색된 빈도수와 거의 정비례 관계를 보였다. 검색된 빈도수는 이명박, 정동영, 이회창, 문국현, 권영길 순으로 실제 득표 순서와 일치했다. 2008년 미국 대선 역시 선거일 3개월 전부터 오바마의 검색빈도수가 다른 후보를 앞서기 시작했다. 선거 결과는 역시 오바마의 승리였다.

2012년 선거의 해를 맞아 검색빈도수를 예측에 사용하려는 시도는 더욱 활발해지고 있다. 이미 지역별로 안철수, 박근혜, 문재인 등 대선 후보의 검색빈도수를 측정하려는 시도가 다수 있다. 특히 문재인, 안철수의 경우 2011년 후반부

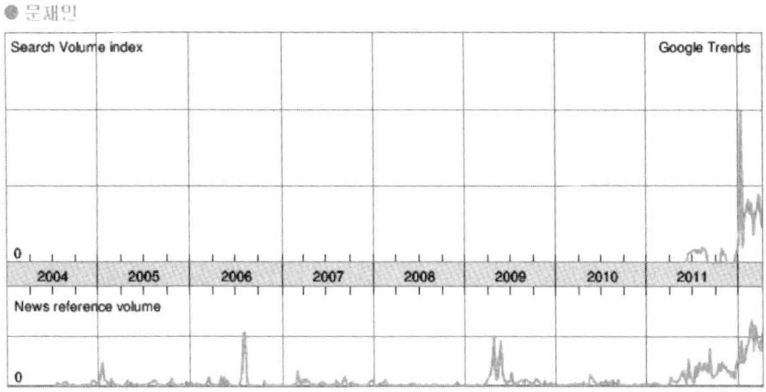

● 문재인

[illegible]
[illegible]

터 검색빈도수가 열 배 가까이 치솟았다. 문재인을 많이 검색한 지역은 전라북도, 충청북도, 광주시 등이다. 부산은 국내 시도 가운데 10위권이다. 4월 총선이 치러지기까지 문재인이 부산에서 검색되는 빈도가 선거의 결과를 예측하는데 도움이 될 수 있다. 그동안 선거 결과를 예측하기 위해 여론조사를 사용했으나 최근 들어 정확성이 크게 떨어지고 있다. 사람들이 대부분 휴대폰을 들고 다니지만 선거 여론조사는 대부분 자택 전화로 이뤄졌기 때문이다. 따라서 선거를 예측하는 지표로 휴대폰 여론조사와 구글, 네이버, 다음 등에서의 검색빈도수 등을 함께 활용하면 이전보다 더 정확한 정보를 제공할 수 있을 것이다. 어쩌면 이 방법이 새로운 시대에 맞는 선거 예측자료일 수 있다.

마케팅 분야에 새로 떠오르는 분야는 ‘소셜 애널리틱스’다. 소셜 애널리틱스는 페이스북, 트위터 등 SNS에서 수집되는 데이터를 분석하는 것을 의미한다. 소셜미디어에는 주로 각 개인들의 일상과 생각들이 담겨있고, 이를 분석하면 개인들의 성향과 수요를 파악할 수 있다. 결국 이런 정보들은 기업에겐 새로운 상품을 판매할 수 있는 금맥이고 정치인들에겐 득표를 이끌어낼 수 있는 표심인 셈이다. 사실 빅 데이터가 전 세계적인 트렌드로 떠오른 가장 큰 이유도 SNS의 부상이었다. SNS로 데이터의 양이 늘었을 뿐 아니라 데이터를 분석했을 때 경제적인 이득을 얻을 수 있기 때문이었다. 최근에는 기업뿐 아니라 정치권에서도 소셜 애널리틱스에 대한 관심이 부쩍 늘었다.

기업에서 소셜 애널리틱스를 활용하는 목적은 주로 마케팅과 위기관리를 위해서다. ‘하얀국물 라면’ 돌풍을 일으킨 꼬꼬면은 SNS를 통해서 제품을 알렸을 뿐만 아니라 소비자들의 반응을 반영해 제품을 개선했다. 당초 SNS를 통해서 입소문 마케팅을 펼쳤던 꼬꼬면의 제조사 팔도는 SNS에서의 반응을 꾸준히 모니터링했다. 특히 일부 소비자들은 “꼬꼬면을 직접 만들어보니 물의 양을 봉지에 표기된 550ml로

하는 것보다는 방송에서 이경규 씨가 만들었던 대로 500ml로 하는 편이 더 맛이 좋다"고 주장했다. 결국 팔도는 이 의견을 받아들여 봉지의 표기를 변경했다.

독일의 식칼 업체 헨켈 은 소셜 애널리틱스를 통해 위기를 극복했다. 헨켈 사는 자사의 식칼 판매량이 지속적으로 떨어지자 그 이유를 다각도로 분석했다. 하지만 한동안 그 이유를 찾을 수가 없었다. 그래서 시도한 것이 트위터 분석이었다. 헨켈은 트위터 분석을 통해 수백만 건의 글을 살펴본 결과 주부들이 칼에서 나는 냄새를 싫어한다는 것을 알게 됐다. 그 결과 헨켈은 모든 제품의 향을 바꿨고 예전의 판매량을 회복했다.

소비자들의 수요가 다양하고, 빠르게 변화하는 패션업계에서도 소셜 애널리틱스를 활용하는 경우가 늘고 있다. 리바이스, 자라, 유니클로, H&M 등 세계적인 패션 브랜드들은 1000만 명 내외의 팬들을 확보하고 있다. 이 팬들과 SNS에서 실시간으로 트렌드와 제품에 대한 의견을 주고받으면서 생산에 반영한다. 계절마다 신상품을 출시하는 의류 업체로서는 소비자들의 수요와 트렌드를 발 빠르게 파악하는 것이 판매와 재고관리에 큰 도움이 된다.

소셜 애널리틱스를 통해 새로운 소비자층을 파악하기도 한다. 펩시는 자사 에너지 드링크 게토레이의 소비층을 주로 운동선수와 운동을 즐겨하는 사람들로 여겨왔다. 하지만 소셜미디어를 분석해보니 게토레이에 대해 가장 많이 언급하고 평가하는 집단은 온라인에서 게임에 열중하는 사람들이었다. 이들이 오랫동안 게임을 하다가 지치면 에너지 드링크를 마시며 SNS로 음료에 대한 평가를 한다는 것이다. 펩시는 게이머라는 새로운 목표 소비자군 을 설정했고, 소셜미디어 전담 부서를 설치해 소비자들과 직접적인 소통에 나섰다.

사실 소셜미디어가 등장하기 이전에도 데이터를 분석해 의미 있는 결과물을 추출하는 데이터 마이닝 이 여러 분야에서 활용됐다. 데이터 마이닝의 범위는 2000년대 웹 브라우저의 시대가 열리면서 인터넷으로 확대됐다. 한국에서는 다음의 자회사로 출범한 다음소프트 가 온라인 데이터 마이닝 분야의 대표적인 기업이다. 최근에는 데이터 마이닝의 범위가 소셜미디어로 확대되고 있다. 이렇게 본다면 소셜 애널리틱스는 소셜 데이터 마이닝 의 동의어나 마찬가지다. 다음소프트 역시 최근엔 사업영역을 소셜 애널리틱스로 넓혔고, 기업은 물론 정치권에서도 소셜 애널리틱스를 의뢰하는 경우가 늘고 있다고 한다.

실제로 다음소프트는 2012년 총선을 앞두고 각 후보자와 정당에 대한 SNS상의 여론을 분석하는 서비스를 개발했다.

다음소프트가 개발하고 LG유플러스가 출시한 '사회관계망 여론분석'은 트위터의 데이터를 실시간으로 분석하여 후보와 정당의 노출 빈도수와 정책선호도 등을 그래프로 표시해 준다.

IT Insight 소셜 애널리틱스의 3가지 방법

소셜미디어에서 의미 있는 정보를 뽑아내고 분석하는 방법은 크게 3가지가 있다.

첫 번째 방법은 텍스트 분석 이다. 이 방법을 통해 소셜미디어에서 주로 회자되는 주제가 무엇이고 기업과 브랜드, 상품, 정치인 등 특정 대상에 대한 평판을 파악할 수 있다. 예를 들어 'LG전자'라는 기업에 대한 평판을 알아보고자 한다면 긍정적인 단어들인 '우수한 기술력', '유연한 문화', '제품력', '위기 극복능력', '흑자전환' 등과 함께 해당 기업이 얼마나 자주 언급됐는지를 확인한다. 마찬가지로 부정적인 단어들인 '적자전환', '잦은 고장', '애프터서비스 부실', '뒤떨어지는 기능', '늦은 업그레이드' 등과 언급된 횟수를 분석한다. 특정 기간에 '무상급식'과 '포퓰리즘'이라는 두 가지 주제 중에서 어느 주제가 더 많이 이야기됐는지도 파악할 수 있다.

소셜미디어를 분석하는 두 번째 방법은 사람들 간의 연결 관계와 상호 영향력을 파악하는 네트워크 분석 이다. 쉽게 표현하면 어떤 사람이 글을 하나 쓸 때 전파되는 속도와 영향력 등을 분석하는 방법이다. 또한 어떤 사람들에게 전파되는가를 파악하는 것도 네트워크 분석에 속한다. 예를 들어 벤처투자자가 글을 쓰면 벤처기업 관계자들에게 금세 전파되고, 작곡가가 음악을 올리면 가수들과 뮤지션들이 주로 관심을 갖는다. 이처럼 네트워크 분석을 통해 어떤 메시지가 어떤 경로를 통해 전파되는지, 주로 누구에게 영향력을 미치는지를 파악할 수 있다.

소셜 애널리틱스의 세 번째 방법은 계량, 기술 분석

이다. 통계적으로 파악할 수 있는 정보를 모으는 분석 방법이다. 예를 들어 트위터에서 팔로워를 맺고 있는 사람의 수나 나이, 성별, 직업별 친구의 숫자도 통계적으로 산출할 수 있다. 또한 트위터에서 일정기간 발생한 메시지 가운데 리플라이, 리트윗이 되는 비율을 따지거나, 페이스북에서 댓글, 좋아요, 공유 횟수 등을 파악하는 것도 통계분석에 해당된다.

데이터가 많아지고 이를 분석하는 기술이 발전하면서 이전에 없던 서비스가 등장하기도 한다. 대표적인 것이 구글의 실시간 번역서비스다. 구글은 인간이 미리 번역한 문서에서 의미가 비슷한 문장과 어구를 대응시키는 방식을 사용해 자동번역을 시도했다. 1990년대 IBM이 이미 한 차례 실패했던 방식이었다. 하지만 구글은 IBM과 달랐다. 엄청난 양의 데이터를 동원해 번역의 정확성을 크게 높였다. 구글은 이 서비스를 하는데 수십억 장의 문서를 사용했고 지금도 이 문서의 숫자를 늘리고 있다. 결국, 번역 서비스의 성패를 가른 것은 데이터의 양이었다.

구글이 현재 번역서비스를 제공하는 언어는 총 65개다. 영어, 중국어, 일본어, 프랑스어, 독일어 등의 언어를 비롯해 터키어, 히브리어, 아프리칸스어 등도 번역서비스를 제공한다. 각국의 언어가 원활하게 번역되고, 정확도가 높아지면 인터넷 상의 데이터들이 언어와 관계없이 소비되는 통합 인터넷 시대가 열린다.

데이더의 양이 서비스의 품질을 결정지은 사례는 번역만이 아니다. 오타 체크 서비스 개발에도 데이터의 양이 결정적이었다. 구글은 매일 3억 건씩 발생하는 검색창의 오타 입력과 수정 정보를 활용해 오타 체크 프로그램을 만들었다. 이는 마이크로소프트가 장기간 대규모 투자를 통해 만든 오타 체크 프로그램보다 정확도가 높았다.

이렇게 개발된 실시간 번역서비스는 향후 음성인식 기술과 결합돼 실시간 통역서비스로 발전할 전망이다. 이 기술의 잠재력은 상상 이상이다. 구글은 사람이 음성으로 명령을 내리면 원하는 정보와 서비스를 얻을 수 있는 세상을 구상하고 있다. 예를 들어 모바일에 "다음 주 화요일부터 샌프란시스코에서 5일 동안 출장 일정이 있어. 금문교 근처에 있는 호텔 리스트와 렌트할 차를 알아봐 줘"라고 명령하면 적절한 서비스가 나열된다. 그리고 리스트들 가운데 선택하면 자동 결제되는 서비스가 이뤄지는 날이 멀지 않았다. 이런 서비스가 가능해지려면 음성인식과 자동번역 서비스는 필수적이다.

아직 번역서비스는 이뤄지진 않지만 상당부분 음성 명령의 의미를 이해하고 그에 맞는 솔루션을 제공하는 서비스가 있다. 바로 애플의 시리다. 아이폰4S에 탑재된 시리 역시 빅데이터와 분석기술을 활용한 서비스다. 예를 들어 시리에 근처 이탈리아 레스토랑을 찾아달라고 하면 이 질문은 애플 본사 메인 서버로 보내진다. 본사 컴퓨터는 인공지능 알고리즘으로 질문의 진의를 분석한 뒤 대답을 아이폰으로 보낸다. 아이폰을 대답을 받아 근처의 식당을 검색한다. 이 과정은

빅 데이터로 번역의 정확성을 높인 구글 번역기

모두 실시간으로 이뤄지고, 애플 서버에 질문이 많이 쌓일수록 대답은 보다 정교해진다. 이전의 데이터베이스를 활용하기 때문이다.

스마트폰을 이용한 음악검색도 데이터 분석기술로 인해 등장한 서비스다. 네이버, 다음, 네이트 등의 기본 앱에 탑재된 음악검색 기능은 카페나 공연장 등에서 흘러나오는 노래의 제목이 궁금할 때 사용할 수 있는 서비스다. 이 앱은 음악의 몇 소절을 회사의 서버로 보내 패턴을 분석한 후 어떤 음악인지를 알아낸다. 이런 과정은 모두 실시간으로 이뤄진다. 이 뿐 아니라 QR코드나 바코드를 통해 상품을 확인하거나, 정품인증을 하는 것도 데이터 분석을 통해 가능해졌다.

대중화된 서비스는 아니지만, 실리콘밸리에서 주목받는 벤처기업인 퀴키 역시 빅 데이터와 분석능력을 활용한 서비스다. 퀴키는 좀 특별한 검색엔진이다. 일반 검색엔진과 마찬가지로 검색된 단어에 대한 콘텐츠를 찾아주지만, 검색

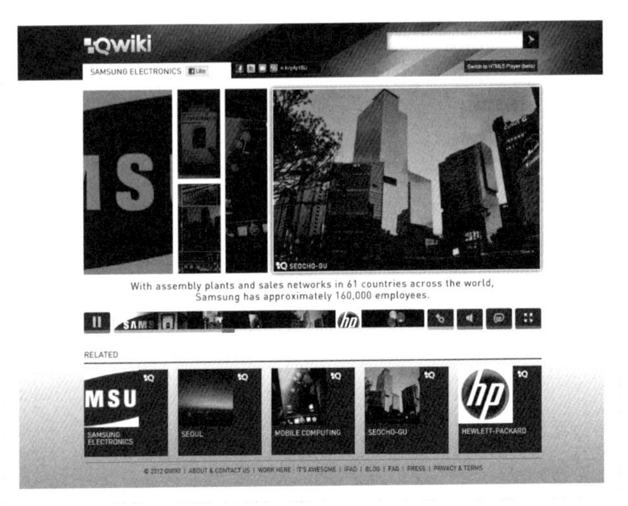

된 결과를 적절히 편집해 동영상으로 보여준다. 그리고 그렇게 편집하기까지 걸리는 시간은 아무리 길어도 1분이 채 걸리지 않는다. 퀴키 홈페이지 에 들어가 생각나는 아무 단어를 검색하면 아주 짧은 시간에 해당 단어에 대해 깔끔하게 정리해준다. 예를 들어 삼성전자 를 검색(영어로만 가능)하면 삼성전자의 로고와 건물사진, 주요 제품 등이 화면에 등장하고, 삼성전자가 한국에 본사가 있는 다국적 전자회사이고 삼성그룹의 가장 대표적인 기업이라는 점이 설명된다. 또한 61개국에 제품을 판매하고, 16만 명의 노동자를 고용하고 있으며 2009년 휴렛팩커드 를 제치고 최대 IT 제조 업체가 됐다는 점도 말한다. 마찬가지로 다른 검색어인 '스탠포드 '를 입력하면 퀴키는 스탠포드가 어디에 위치해 있고, 누가 이 대학을 설립했는지, 실리콘밸리가 어떻게 탄생했는지 등을 영상과 함께 설명한다.

빅 데이터 기술을 이용한 퀴키는 향후 인터넷의 미래에도 여러 시사점을 준다. 『구글 이후의 세계』를 집필했고, 사용자의 검색 습관과 광고를 연결하는 심플리닷컴 을 창업한 제프리 스티벨 은 향후 인터넷이 보다 개인화된 서비스로 진화할 것이라고 전망했다. 인터넷의 콘텐츠와 서비스를 보다 사용자가 쉽게 이용할 수 있게 하려면 검색된 내용을 개인에 맞게 재구성하는 기능이 필수적이다.

소비자들이 흘린 정보로 숨은 수요 찾는다

세계 최대 인터넷 쇼핑 업체 이베이에는 고객 구매정보를 분석하는 인력만 6000명이나 된다. 어찌 보면 너무 많은 숫자라고 볼 수도 있다. 하지만 다 이유가 있다. 만일 소비자가 이베이에서 '카키색 잠바'를 검색했을 때 수백 개의 상품을 두서없이 보여주면 금세 관심을 잃을 수 있다. 하지만 가장 인기가 있는 제품은 무엇인지, 스타일과 가격별로 어떤 제품이 있는지를 잘 정리해서 보여주면 소비자는 더 의욕적으로 상품을 구매하게 된다. 이처럼 어떤 상품을 검색했을 때 빠르게 원하는 상품을 찾을 수 있게 하는데도 빅 데이터 분석이 활용된다. 또한 회원들이 이전에 구매했던 제품들을 분석해 좋아할만한 제품들을 추천하는데도 데이터 분석이 요긴하게 활용된다. 이베이는 2011년 11월 맛집이나 명소, 패션, 교육 등 다양한 분야의 질의응답이 이뤄지는 사이트 헌치 [illegible]를 8000만 달러에 인수했다. 상당한 거액을 들이면서 이 기업을 인수한 이유가 있다. 바로 질의응답과 SNS, 온라인 상거래를 결합하기 위해서다. 예를 들어 고객들이 어떤 분야에 대해 질문을 올리면 그에 관련된 상품과 서비스를 추천하는 서비스가 가능해질 수 있다. 이런 서비스가 보다 원활하게 이뤄지려면 고도의 데이터 분석능력이 필요하다.

이처럼 개인들이 만들어내는 정보에서 일정한 패턴을 찾아내면 돈이 되는 정보로 탈바꿈한다. 미국의 인터넷 동영상 업체인 넷플릭스 도 개인들의 구매패턴을 파악해 마케팅에 활용하고 있다. 넷플릭스는 회원들이 이전에 봤던 영화들을 분석해 좋아할 만한 영화를 추천해주는 시네매치 서비스를 개발했다. 소비자가 이전에 봤던 영화들에 별점을 줘서 평가하면 이를 바탕으로 넷플릭스가 회원의 취향을 파악한 뒤 영화들을 추천해주는 서비스다. 예를 들어 영화 〈웰컴투 동막골〉, 〈아는 여자〉를 봤다면 장진 감독의 다른 영화를 추천하는 식이다. 〈러브 액츄얼리〉와 〈8월의 크리스마스〉를 호평했다면 비슷한 로맨스 영화를 알려주기도 한다.

참고로 1997년 DVD 대여 업체로 설립된 넷플릭스는 연체료 없는 월정액제, 빠른 배송서비스와 기존의 사업에 악영향을 줄 수 있는 신사업에 과감히 도전하는 '파괴적 혁신'으로 전 세계 2000만 명 이상의 회원을 보유하고 분기매출이 9억 달러에 가까운 기업으로 성장했다. 처음 같은 비즈니스 모델로 라이벌 관계를 형성했던 블록버스터 는 넷플릭스보다 훨씬 큰 기업이었지만 기존의 오프라인 위주의 사업모델을 고수한 탓에 결국 파산절차를 밟고 있다. 법정관리에 들어가고 2010년 한때 한국의 SK텔레콤이 인수를 검토했다는 보도가 나오기도 한 기업이다.

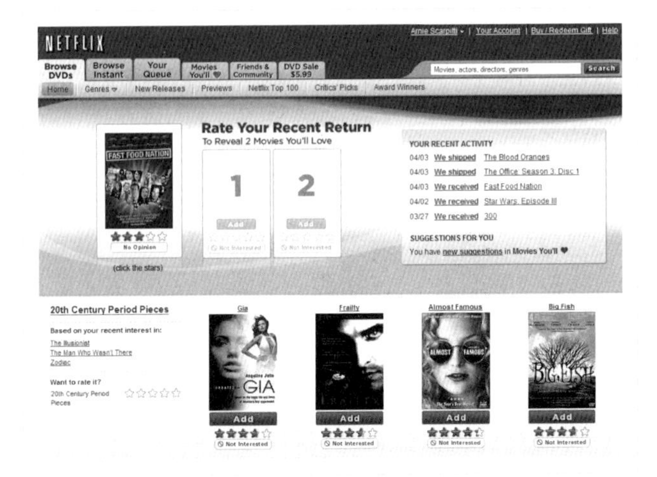

좀 다른 이야기지만, 온라인 시대에 희비가 교차한 블록버스터와 넷플릭스는 데이터를 바라보는 시각에도 차이가 있다. 블록버스터에게 데이터 경영이란 회원들에게 DVD를 잘 배송하고 회수하는 시스템 정도의 의미였지만, 넷플릭스는 어떻게 사람들이 원하는 동영상을 쉽게 제공할 것인가, 즉 콘텐츠 접근성을 고민하며 데이터 경영을 도입했다. 이런 점에서 시네매치라는 서비스가 블록버스터가 아닌 넷플릭스에서 나온 것은 우연이 아니다.

이제 단순한 온라인서점이 아니라 모든 종류의 재화와 서비스를 온라인으로 파는 업체로 진화한 아마존은 매출의

30%가 추천 엔진에서 발생한다. 아마존은 소비자들의 구매 패턴을 분석해 추천하는 상품이나 콘텐츠에 “당신이 아마도 좋아할 것들 ”이라는 말을 붙여 구매를 유도한다. 유튜브의 동영상 추천도 비슷한 방식으로 이뤄진다. 유튜브에서 아이유의 〈좋은 날〉을 검색해 해당 동영상을 보고 있으면 우측에 ‘아이유’나 ‘좋은 날’과 관련된 다른 콘텐츠들이 나열된다.

페이스북이 친구를 추천하는 방식도 빅 데이터를 분석한 결과다. 페이스북은 회원들의 관계 데이터들을 수집해 지인들이 많이 겹치는 사람을 우선적으로 친구로 추천한다. 이 방식은 오프라인의 인간관계를 온라인으로 옮기는데 유용하다. 아는 사람들이 겹칠수록 서로 아는 사이일 확률이 높기 때문이다. 또한 페이스북은 같은 학교, 직장, 동아리 사람들을 친구로 추천하고, 심지어 자신을 검색한 적이 있는 사람을 친구로 추천하기도 한다. 소개팅에서 처음 만난 사람이 페이스북에서 ‘친구 추천’으로 뜨는 이유도 이 때문이다.

데이터 분석으로 잘 맞는 이성 찾아주기도

이성 간의 만남을 주선하는 소셜데이팅 사업에서도 빅 데이터 분석이 활용된다. 이 서비스에 가입하려면 자신의 프로필을 구체적으로 입력해야 한다. 국내에서 가장 큰 소셜데이팅 업체인 이음 에 가입하려면 프로필을 입력하느라 최소 20~30분이 걸린다. 이렇게 자신의 실명과 나이, 출신학교와 전공, 좋아하는 음악, 영화, 여행지 등을 빼곡하게 입력하는 것이 소셜데이팅 서비스와 과거 온라인 만남 서비스와의 차이점이다. 일부 서비스는 페이스북 등 자신의 SNS와 연동까지 가능하다. 소셜데이팅 업체들은 최대한 회원들의 정보를 많이 수집해 취미, 관심사 등이 서로 겹치는 이성들을 소개해준다. 따라서 분석능력이 뛰어난 소셜데이팅 업체일수록 잘 맞는 이성을 찾아줄 가능성이 높다.

데이터 분석은 지역 상점에게도 새로운 기회를 제공한다. 지역에 있는 모든 상점들이 바라는 것은 바로 인근에 구매의사가 있는 소비자들에게 적절한 정보를 제공하는 것이다. 이것만 제대로 할 수 있다면 골목상권도 나름의 승부수를 던질 수 있고, 어느 정도 수요예측도 가능하다. 예를 들어 한 베트남 쌀국수 전문점이 가게의 위치와 어떤 메뉴를 얼마에 파는지를 인근에 있는 사람들에게 알리기란 쉬운 일이 아니다. 누군가가 맛있다고 평가한 내용을 보려면 인터넷을 찾아봐야 한다. 하지만 이런 정보를 실시간으로 인근에 있는 사람들, 그 중에서도 원래 베트남 음식을 선호하는 사람들에게 전달할 수 있다면 이야기가 달라진다. 지역 상점들의 마케팅 방식이 완전히 바뀌는 것이다.

이런 마케팅 방식이 가능한 시대가 점점 가까워지고 있다. 열쇠는 물론 데이터 분석에 있다. 이 경우 가장 중요한 데이터는 사람들이 남기는 위치정보와 구매정보다. 인근을 많이 돌아다니는 사람과 관련 상품을 많이 구매한 사람들이 가장 적합한 마케팅 대상이다.

이미 소비자들의 위치정보와 구매정보를 수집하는 기업들이 있다. 바로 그루폰, 티켓몬스터, 로티플 등의 소셜커머스 업체들이다. 이 업체들은 2011년 초부터 위치기반 소셜커머스라는 서비스를 시작했다. 이 서비스는 모바일로 인근 지역 상점의 할인상품을 구매할 수 있는 사업모델이다. 예를 들어 신촌역에 내린 대학생이 반경 500미터 안에서 할인상품을 제시하는 상점을 찾아 구매할 수 있는 서비스인 셈이다. 이 서비스를 제공하는 업체들은 회원들이 언제, 어디에서, 무엇을 구매했는지를 파악할 수 있고, 이 정보를 분석하면 연령별, 성별, 계층별로 선호하는 지역과 구매유형을 알 수 있다. 이를 잘 분석하면 매출을 높일 수 있겠지만 더 중요한건 실시간으로 수집되는 회원들의 위치와 소비정보다.

만일 실시간 위치정보를 잘 수집하는 업체가 있다면 그 정보를 바탕으로 플랫폼을 만들어 새로운 비즈니스 모델을 만들 수 있다. 현재 전 세계 모바일 사용자들의 위치정보를 잘 수집하는 업체는 페이스북, 포스퀘어 등이다. 만일 이런 업체들이 개인정보 보호에 대한 문제를 해결하고, 개인의 위치정보를 실시간으로 지역 상점들에게 제공하는 플랫폼을 만든다면 상당한 경제적 가치가 있을 것이다. 어느 지역에서 일본식 라면을 만드는 집이 있다고 할 때 이 플랫폼에 접속해 인근에 있는 사람들 중 일본음식을 좋아하는 사람들에게 '타깃 마케팅'을 할 수 있게 된다. 만일 그 플랫폼에서 각 상점별로 특징이 소개되고, 자주 찾는 사람들 간의 커뮤니티가 형성되면 금상첨화다. 소비자 역시 가까운 곳에서 원하는 상품이나 서비스를 구매할 수 있다. 현재 이런 서비스가 이뤄지기 어려운 이유는 실시간으로 위치정보가 수집되고 공유되는 플랫폼이 없어서다. 또한 지역의 상점들이 제대로 네트워크와 플랫폼을 구축하지 못한 것도 한 원인이다.

지금은 소비자들의 위치정보라는 빅 데이터가 실시간으로 공유되는 플랫폼이 없기 때문에 이런 서비스가 어렵다. 하지만 언젠가 이런 서비스를 구현하는 방향으로 제반 여건을 갖춰나갈 것이라는 게 여러 IT 전문가들의 전망이다.

패스트패션이 성공한 이유

기존의 서비스를 개선하는데도 빅 데이터 분석이 활용된다. 전 세계 패션트렌드의 대세로 자리 잡은 패스트패션 도 사실 데이터 분석기술의 발전과 관련이 깊다. 자라, H&M, 유니클로 등의 패스트패션은 과거 전 세계 패션시장에서 대중적인 브랜드로 사랑받던 폴로, 갭, 베네통, 지오다노 등과 생산, 유통체계과 완전히 다르다. 기존 업체들은 디자이너가 시즌별로 유행에 맞는 디자인을 만들어내면 적당한 수요량을 예측했다. 이런 과정을 거치기 때문에 패션업계에서 가장 중요한 것은 바로 재고관리였다. 이월상품의 옷을 구입하면 신상품 가격의 절반도 되지 않는 것도 마찬가지의 이유다.

반면 자라, H&M 등의 패션 브랜드는 제품의 짧은 수명주기를 DNA로 삼는 기업들이다. 유행을 빠르게 포착해 다품종 소량생산을 하는 것으로도 유명하다. 이렇게 하는 가장 중요한 목적은 재고를 줄이기 위해서고, 그러면서 소비자들의 수요를 빠르게 충족시켜 판매를 늘리기 위함이다. 즉 재고량 줄이기와 판매량 늘리기라는 두 가지 목표를 한꺼번에 달성하는 셈이다. 자라 브랜드로 널리 알려진 스페인의 인디텍스 사가 이렇게 할 수 있었던 배경에는 실시간으로 공급망을 관리할 수 있는 체계, 즉 SCM 에 심혈

순위	기업	순위	기업
1	애플	11	코카콜라
2	델	12	마이크로소프트
3	P&G	13	콜게이트파몰리브
4	RIM	14	IBM
5	아마존	15	유니레버
6	시스코	16	인텔
7	월마트	17	HP
8	맥도날드	18	네슬레
9	펩시콜라	19	인디텍스
10	삼성전자	20	나이키

2011년 글로벌 기업 SCM 순위

을 기울였기 때문이다. 이들 브랜드들은 전 세계 매장에서 판매와 재고 데이터를 실시간으로 분석해 최적의 생산, 물류시스템을 구축했다. 그 결과 유행하는 스타일, 패션에 대해서도 남들보다 더 빠르게 파악할 수 있었다.

빅 데이터 분석을 재고관리와 공급망 관리에 활용하는 것은 이미 대부분의 유통, 제조업에서 이뤄지고 있다. 2000년대 초중반 SCM의 교과서로 불렸던 도요타는 데이터 분석을 통한 공급망 관리가 실적에 얼마나 중요한 영향을 미치는지를 단적으로 보여줬다. 그리고는 삼성전자, 애플 등 글로벌 기업들은 너나없이 공급망 관리에 전력을 쏟았다. 특히 제조업체들은 부품조달이 제때 이뤄줘야 제품 생산에 차질이 없고, 전 세계 판매처에 물건을 제대로 공급할 수 있다. 유통 업체도 SCM이 중요하기는 마찬가지다. 월마트의 경우 재고 현황을 실시간으로 파악할 뿐 아니라, 그 정보를 상품을 공급하는 사업자들과 공유한다. 시장조사기관 가트너는 매년 「포춘 」에서 선정한 500대 기업을 대상으로 SCM 순위를 매기고 있다. 순위를 매길 때 주로 참고하는 데이터는 재고회전율과 SCM 전문가들의 의견이다. 가트너의 평가에 따르면 2011년 애플은 4년째 1위를 차지했고, 컴퓨터 업체 델이 2위, P&G가 3위, 아마존 5위, 월마트 7위 등을 기록했다. 국내 기업 중에서는 삼성전자가 10위로 가장 높은 순위를 기록했다.

재봉사 한 명 없이 옷 20억 벌 만드는 리앤펑

SCM 자체를 특화해 사업모델로 삼은 대표적인 기업은 리앤펑 이다. 홍콩의 의류 업체로 알려진 리앤펑은 사실 대단히 흥미로운 기업이다. 리앤펑에는 공장 하나, 심지어 재봉사 한명 없지만 매년 20억 벌이 넘는 의류를 생산하고, 장난감, 액세서리 등도 만들어 전 세계로 수출한다. 매출액만 1년에 20조 원에 달한다. 리앤펑은 40개국 1만 2000여 개의 공급자와 900여 개의 브랜드를 IT 시스템으로 구축해 실시간으로 공급과 판매를 관리한다. 주문, 생산, 선적, 유통, 판매 등이 IT 시스템을 통해 이뤄지고, 데이터들을 실시간으로 공

• 리앤펑의 전 세계 네트워크에 연결된 공급, 판매업자

유하고 분석해 그에 적합한 의사결정을 내린다. 예를 들어 미국의 의류회사가 50만 벌의 옷 생산을 주문한다면 리앤펑은 단추를 파키스탄 공장에 주문하고, 방글라데시 공장에 옷감을 맡기고, 지퍼를 중국 공장에 주문한 다음 이를 모아서 중국 공장에 의류 생산을 맡긴다. 리앤펑과 같은 사업 모델을 예전엔 네트워크 비즈니스라고 불렀고 최근엔 '플랫폼 비즈니스'라고 말한다.

인터넷 업체들과 게임 업체들 역시 빅 데이터를 수집하고 분석하는 일에 사활을 걸고 있다. 국내 대표 인터넷과 게임 업체인 NHN, 엔씨소프트 등은 2000년대 중후반부터 데이터를 분석하는 팀을 강화했다. 카이스트에서 데이터 분야의 석사학위를 받고, NHN과 엔씨소프트를 거쳐 현재 소셜게임 업체 소셜인어스를 창업한 김미영 대표는 두 기업에서 모두 데이터 관리와 분석을 두루 경험했다. 그가 밝히는 내용에 따르면 네이버는 특정 검색어를 많이 검색하는 사람이 누굴까를 판단해 그에 맞는 광고를 배치한다. 예를 들어 '박지성'을 검색할 때는 듀오 광고보단 면도기 질레트 광고를 내보내는 식이다. 또한 어떤 콘텐츠를 어떻게 배치해야 클릭수가 많아지는지 등도 데이터 분석의 대상이다. 게임 회사에서도 빅 데이터 분석은 수익성 향상의 수단이 되고 있다. 과거 게임 업체가 수집한 데이터들은 회원정보와 결제정보 등이 대부분이었다. 하지만 분석능력이 월등한 기기의 등장으로 개개인들이 어떤 방식으로 게임을 하는지 등 세세한 정보들을 모두 수집한다. 그리고 이런 정보를 통해 소비자들이 선호하는 방식으로 서비스를 수정한다. 또한 사용자들이 어떤 패턴을 보일 때 아이템을 구매하고, 정액 결제를 더 많이 하는지 등을 분석한다.

자동차 업체 볼보 는 자동차에 설치한 센서를 통해 주행할 때 여러 부품들의 상태, 안정도 등의 데이터들을 실시간으로 수집한다. 이 과정에서 제품 개발 단계에서 발견하기 어려운 다양한 결함과 소비자의 숨은 수요를 찾아 빠르게 대응하고 있다. 특히 결함을 늦게 발견하면 그만큼 리콜을 해줘야 하는 차량이 많아지기 때문에 비용부담이 커진다. 하지만 이 센서를 통해 기존에 50만대 차가 팔린 뒤에나 발견할 수 있었던 결함을 이제는 1000대 정도 팔렸을 때 알 수 있다고 한다. 자동차에 설치된 센서는 보험에도 적용된다. 영국의 아비바 보험사는 운전자의 운행기록을 분석해 혼잡시간대와 사고다발지역에서 운행 빈도가 낮은 운전자에게 보험료를 할인해주는 '주행거리 비례 ' 상품을 출시하기도 했다.

이처럼 센서를 통해 수집되는 정보로 서비스를 개선하거나, 새로운 서비스를 만들어내는 일은 더 활발해질 전망이다. 사물 간의 정보를 주고받는 M2M 센서는 현재 전 세계에 20억 개 정도 있는 것으로 추산되고 있다. 현장에서 직접 수집한 정보를 데이터 센터로 자동으로 전송하는 모든 센서와 시스템이 M2M이다. 볼보가 자동차에 설치한 운행기록장치도 M2M 센서이고, 기상관측장비도 마찬가지다. 업계에서는 M2M 센서가 2020년에 1000억 개로 지금보다 50배 늘어날 것이라고 예상하고 있다. 특히 스마트폰에 장착되는 NFC칩 역시 M2M 센서이기 때문에 예상보다 빠르게 늘어날 수도 있다.

M2M 센서에서 수집되는 데이터를 통한 새 비즈니스 모델도 다수 등장할 것으로 예상된다. 2008년 네덜란드에서 설립된 업체 스파크드 가 대표적이다. 이 회사는 소에 센서

를 부착해 소의 움직임과 건강상태를 수시로 확인할 수 있는 시스템을 구축했다. 그 결과 소를 건강하게 키울 수 있었고, 우유와 고기 생산량이 늘었다. 2010년 영국에서 설립된 파큐브 는 여러모로 선구적인 기업이다. 이 기업은 공공기관, 민간기업, 개인 등이 보유한 센서를 자사의 시스템에 등록하고, 센서가 수집한 정보들을 분석한다. 파큐브는 이 정보들을 일부 완전 개방하고, 다른 일부의 정보들의 경우 가공해서 판매한다.

머니볼이 알려준 의사결정의 비밀

의사결정은 어느 곳에서나 굉장히 중요한 영역이다. 보통 어느 조직에서나 가장 권력을 가진 곳에서 결정을 내린다. 국가의 중요한 결정은 행정부, 입법부, 사법부에서 내려지고, 기업의 중요 결정은 CEO와 경영진이 하거나 이사회, 주주총회에서 이뤄진다.

문제는 어떻게 의사결정을 잘 할 수 있을 것인가에 대해 정답이 없다는 것이다. 아무리 객관적이고 논리적인 근거를 바탕으로 결정을 내린다고 해도 결국 최종적으로는 특정인의 동물적인 감각에 맡길 때가 많다. 아니면 때로는 결정 그 자체보다는 결정 이후의 노력으로 더 좋은 결과가 나올 때가 많다. 결국 리더는 좋은 결정을 하는 것도 중요하지만, 자신의 결정을 구성원들이 신뢰하게 만들어서 좋은 결과를 낼 수 있도록 독려하는 것일 수도 있다.

이처럼 의사결정이라는 것은 불완전할 수밖에 없다. 하지만 빅 데이터에 대한 이해를 높이면 의사결정 부문에서 상당한 혁신을 이룰 수 있다. 가장 쉽게 와 닿는 사례는 2011년 인기를 끌었던 영화 〈머니볼〉이다. 이 영화는 미국 메이저리그 오클랜드 애슬레틱스 팀의 실화를 바탕으로 제작됐다.

2000년대 메이저리그에서 가장 가난한 팀을 이끌었던 빌

리 빈은 야구를 실제로 해본 경험이 없는 수학 천재를 영입했다. 이 수학 천재는 선수 개개인의 성격이나 사생활보다 철저하게 데이터를 바탕으로 다른 구단에서 외면 받는 선수들을 팀에 합류시켰다. 안타는 잘 못 치지만 볼넷을 잘 고르는 선수를 영입했고, 도루를 잘 하는 발 빠른 선수보다는 타점이 높은 선수를 골랐다. 철저히 몸값 대비 좋은 활약을 할 수 있는 선수들을 선발했고, 출루율과 장타율, 타점 능력 등을 바탕으로 한명 한명이 출중하지는 않지만 이 선수들이 뭉치면 이길 수 있는 팀으로 만들었다. 결국 오클랜드는 최저 예산으로 팀을 구성했음에도 불구하고, 4년 연속 포스트시즌에 진출하는 기록을 남긴다.

이처럼 〈머니볼〉은 감에 의지하는 것보다 데이터에 기반해 내린 의사결정이 성공확률이 높다는 것을 보여줬다. 〈머니볼〉과 비슷한 사례는 한국에서도 찾아볼 수 있다. 대표적인 사람이 전 SK 와이번스 감독이었던 김성근 감독이다. SK

와이번스는 김성근 감독이 부임하기 이전에는 2003년도에 단 한 차례 한국시리즈에 진출해 준우승을 했을 뿐 대부분 하위권에 맴돌던 팀이었다. 하지만 김 감독이 부임하고 나서는 4년간 3번 우승하고, 1번 준우승하는 강팀으로 변모했다. SK 와이번스가 강해진 원인은 사실 여러 가지가 있다. 김 감독 특유의 지옥훈련으로 끈끈한 조직력을 갖추는 것도 한몫했고, 선수 개개인의 장점을 발견해 그것을 키워주는 능력도 탁월했다. 이것 말고도 중요한 원인으로 꼽히는 것이 바로 '데이터 야구'다.

김성근 감독이 부임하자 SK 와이번스에는 4번 타자뿐 아니라, 정해진 타순조차 없어졌다. 대부분의 팀에서는 팀의 최고 타자를 4번 타자로 예우하고 어느 정도 정해진 타순이 있다. 하지만 김성근 감독에겐 어떤 타자가 어떤 투수를 만날 때 잘 하고 어떤 순간에 적절한 역할을 하는지가 유일한 판단 기준이었다. 어제 4번을 치던 타자가 오늘 9번을 칠 수도 있고, 내일엔 후보로 전락할 수 있는 것이 김성근 야구였다. 실제 매일 타순을 뒤집는 실험을 단행했고, 결과는 나름 성공적이었다. 투수 운용도 마찬가지였다. 그는 여러 투수들의 성향과 장점을 다방면으로 분석해 각 상황에 맞는 선수들을 내보냈다. 이렇게 투수 운영을 하다 보니 한 명의 선발투수가 길게 던지기보단 중간에 자주 투수들이 바뀌어 '벌떼 야구'라는 별칭이 생기기도 했다. 에이스 투수인 김광현 선수를 상대팀 에이스와 맞붙게 하는 게 아니라 상대팀의 3, 4 선발과 붙여서 승률을 높인 것도 철저히 데이터에 기반한 의사결정이었다. 그는 자신의 선수들 뿐 아니라 8개 구단 선수들의 작은 습관과 성향까지 분석해 의사결정을 내렸다. 아무리 팀의 최고 스타라고 해도 결정적인 순간에는 상대팀 선수에게 강한 선수로 교체하는 것이 그의 야구였다. 이는 수비를 할 때도 마찬가지다. 김성근 감독은 상대 타자가 타구를 가장 많이 보내는 방향으로 수비 위치를 이동시켰다.

강만수, 최중경이 실패한 이유

빅 데이터를 분석하는 능력이 발전하면 더 최신의 정보를 바탕으로 의사결정을 내릴 수도 있다. 가장 최신에 업데이트된 정확한 정보를 바탕으로 결정을 내리기 때문에 성공확률도 그만큼 높아진다. 잘못된 의사결정을 수정하기까지 걸리는 시간도 짧아진다. 경제현상을 예로 들어보자. 한국 정부는 전통적으로 환율 추이에 비상한 관심을 가져왔다. 수출 위주의 통상국가라서 환율이 떨어지면 주요 대기업들의 수출 경쟁력이 떨어지기 때문이었다. 따라서 정부는 외환시장에 직접 개입해 국민의 세금으로 조성한 외환보유고를 활용해 환율을 방어해왔다. 그런데 문제는 환율이 한국 정부가 막고

버틴다고 결정되지 않는다는 것이다. 글로벌 경제상황에 따라 아무리 한국 정부가 달러를 까먹으며 환율을 인위적으로 조정해도 약발이 먹히지 않을 때가 있다. 이런 상황을 실시간으로 파악하고 데이터를 분석해 의사결정에 반영하지 않으면 천문학적인 국민 세금만 낭비하는 셈이다. 이런 실수를 한 대표적인 사람이 바로 강만수 전 기획재정부 장관과 최중경 전 지식경제부 장관이다. 최중경 전 장관은 2004년 원/달러 환율 1140원/달러를 막기 위해 사력을 다했지만, 결국 이 선이 무너지면서 1050원/달러로 급락했고 3년간 대세하락기가 이어졌다. 물론 한국이 외환보유고를 동원해 환율을 방어한 기간 동안 대기업이 이득을 본 측면도 있다. 비슷한 상황은 2008년에도 벌어졌다. 747 공약을 내세운 이명박 정부는 '7% 경제성장률'을 달성하기 위해 고환율 정책을 천명했다. 하지만 2008년 리먼 브라더스의 파산으로 몰아닥친 글로벌 금융위기의 여파는 한국 정부 수준에서 막을 수 있는 대상이 아니었다. 결국, 환율 하락은 조금 늦추는 데 그쳤고 2008년 경제성장률도 2.3%에 그쳤다.

물론 이 사람들은 국가 경제를 위하는 '선의'를 가지고 자신의 '감'에 의지해 정책을 집행했을 뿐이다. 요즘에는 대기업이 장물을 가지고 유산분쟁을 하거나 골목상권까지 진출하기 때문에 국민 세금으로 환율까지 방어해주는 것에 대해

싸늘한 시각이 있지만, 과거엔 정부 재정으로 환율을 관리하는 것이 국가 경제정책의 기본이었다. 만일 굳이 환율을 관리를 해야 한다면 '감'이 아닌 '데이터'를 기반으로 적절한 조치를 취할 필요가 있다.

물가를 관리하기 위한 정책을 펼 때도 마찬가지다. 물가를 관리하는 가장 중요한 정책수단은 한국은행이 결정하는 '기준금리'다. 단순하게 보면 금리를 올리면 물가가 떨어지고 금리를 내리면 물가가 올라간다. 하지만 물가를 산정할 때 사용하는 정보는 빅 데이터라기보다는 '스몰 데이터'에 가깝다. 가장 많이 사용하는 소비자물가지수는 매달 통계청이 측정한다. 조사하는 품목은 총 489개뿐이다. 이 세상에 파는 수십만 가지 품목들 가운데 가장 많이 사용된다고 추정(?)되는 489개만을 선정한 것이다. 이 기준도 상당히 자의적이다. 2011년 추가된 품목은 스마트폰 이용료와 커피 전문점의 커피, 애완동물 미용료 등이었고, 금반지와 캠코더, 전자사전, 공중전화 통화료 등이 빠졌다. 공중전화 통화료는 왜 이제까지 포함됐는지 의아할 정도의 품목이고 애완동물 미용료 등이 많이 소비되는 품목인지에 대해서도 논란의 여지가 있다. 또한 2011년 소비자물가지수 개편이 '꼼수'라는 지적이 나왔는데 이는 품목 변경을 적용했을 때 물가상승률이 0.4%나 낮아졌기 때문이다. 가장 영향을 많이 미친 것은 금반지를 품목에서 뺀 것이다. 정부는 금값이 치솟자 갑자기 금반지를 해당 품목에서 제외했다는 의심을 받기도 했다. 정부가 2011년 초 5% 경제성장률, 3% 물가상승률을 목표로 제시했지만 결과는 경제성장률 3.7%, 물가상승률 4.3%였다. 즉 목표와 결과가 뒤바뀐 것이다. 이 와중에 실정을 숨기려 소비자물가지수 품목을 무리해서 변경했다는 지적이 뒤따랐다.

다시 본론으로 돌아가면 요즘 같은 시대에 489개 품목만으로 물가를 산정한다는 것 자체가 넌센스다. IT 기술은 날로 발전했고, 유통 부문에서도 IT 시스템이 깊숙이 적용되었다. 많은 물건의 판매 가격들을 실시간으로 파악할 수 있는 시스템을 갖췄음에도 불구하고 물가산정 방식은 수십 년째 크게 바뀌지 않았다. 이런 불완전한 정보를 통해 금리정책을 펴기 때문에 효과를 엄밀하게 예측하기 어렵다. 지금 정부가 빅 데이터에 대한 인식의 수준을 높이고 유통 업체들과 협력의 수준만 높인다면 지금보다 훨씬 정확한 물가지수를 만들 수 있다. 물론 아직 이런 시도는 다른 나라에서도 이뤄지고 있지 않기 때문에 한국 정부만 탓할 일은 아니다.

3

빅 데이터의 공공기관 활용

서울버스 사건이 알려준 정부2.0

빅 데이터를 어떻게 정부 운영, 행정에 도입할 수 있을까? 분명 정부가 만들거나 관리하는 수많은 데이터를 체계적으로 활용하면 도움이 될 것 같지만 쉽게 감이 오지 않는다. 하지만 빅 데이터를 통한 정부혁신, 즉 정부2.0에 대해 너무나 쉽게 이해할 수 있는 사건이 2009년 말에 발생했다. 이른바 '서울버스' 사건이다. 사실 이 사건만 제대로 분석해도 향후 빅 데이터 시대에 행정이 어떤 식으로 이뤄져야 하는지를 이해하는데 큰 도움이 된다.

우여곡절 끝에 아이폰이 한국에 2009년 11월 28일 출시되자 일주일 만에 선풍적인 인기를 끄는 앱이 등장했다. 바로 고등학교 2학년 학생이 아이폰을 써보고 일주일 동안 매달려서 만든 '서울버스' 앱이다. 2009년 12월 3일 출시된 이 앱은 버스정류장을 검색하면 그 정류장에 어떤 버스들이 언제 도착하는지를 실시간으로 보여줬다. 이 앱은 출시되자마자 선풍적인 인기를 끌었고 애플 특유의 오픈 플랫폼을 한국에 알리는 계기를 제공했다. '앱 이코노미 '의 등장을 알리는 서막이기도 했다. '서울버스' 앱을 사용하려고 아이폰을 구매하는 사람들마저 생겼을 정도로 앱은 크게 인기를 끌었고 아이폰 도입을 위해 노력했던 KT의 이석채 회장은 따로 고등학생인 유 군을 불러 "좋은 앱을 만들어줘서 정말 고맙다"고 말했을 정도였다. 유 군은 서울버스 앱에 "제가 곧 고 3이 되기 때문에 업데이트가 늦어질 수도 있습니다. 양해해주시기 바랍니다"고 적었지만 누구도 그를 탓하지 않았다.

하지만 엉뚱한 곳에서 문제를 제기하기 시작했다. 바로 경기도청이었다. 경기도청은 '서울버스'가 서비스된 지 2주 만인 12월 14일에 '공공정보 무단이용이라는 이유'로 '서울버스'의 경기도 교통정보 이용을 차단했다. 유주완 군은 경기도가 홈페이지에 공개하는 '버스운행정보'를 실시간으로 받아서 앱으로 연결해주는 서비스를 만들었는데 경기도청은 "경기도가 만들어놓은 정보시스템을 개인이 무단으로 이용할 수 없고, 위치정보 사용 등과 관련해 법률적 문제가 있다고 판단해 정보 공유를 막았다"며 "지금까지 여러 민간 기업에서 버스정보를 이용하겠다고 접촉해 왔지만 거절해온 만큼 특정 앱만 허용할 수는 없다는 입장"이라고 밝혔다. 하지만 시민들은 "정부가 하지 않는 일을 고등학생이 했는데 행정편의주의적인 마인드로 이를 막았다"고 분개했고 결국 김문수 지사가 뒤늦게 서비스 차단을 풀라고 지시해 이 사건은 사흘 만에 일단락됐다.

이 사건은 두 가지 분야에 대한 시사점을 제공했다. 첫째가 정보를 공유하는 시스템이고, 둘째가 정보의 공개 수준이다.

앞서도 여러 번 강조했듯이 이젠 정보를 모으고 분석하는 능력만큼 정보를 수집하는 동시에 활용할 수 있는 시스템을 만드는 것이 중요해졌다. 수집한 정보를 실시간으로 웹상으로 공개하는 것도 중요하지만 더 나아가려면 '오픈 API ', 즉 API 공개를 적극적으로 검토할 필요가 있다. 갑자기 기술용어가 튀어나와 생소하겠지만 결코 어려운 개념이 아니다.

예를 들어 여행전문 홈페이지를 만들었다고 하자. 각 여행지별 명소와 맛집을 상세히 설명했는데 한 가지 아쉬운 점이 있다. 바로 명소와 맛집을 지도 상에 표시하지 못한 것이다. 하지만 이를 위해 지도를 새로 제작할 순 없는 노릇이다. 쉬운 방법은 구글이나 다음, NHN이 제공하는 '지도 API'를 사용하는 것이다. 이들이 제공하는 '지도 API'를 사용해 웹페이지를 만들면 지도를 홈페이지에 쉽게 적용할 수 있고 그 위에 직접 만든 여행지별 명소와 맛집을 추가할 수 있다. 만일 경기도와 서울시가 버스운행정보를 API 형식으로 만들었다면 서울버스를 제작한 유주완 군이 더 쉽게 작업을 했을 것이다.

API 공개는 세계적인 IT 기업들이 현재의 위상을 가지는 계기를 마련하기도 했다. 페이스북과 트위터가 지금과 같은 기업이 된 이유도 서비스 자체가 워낙 매력적이기도 하지만, 2007년 API를 공개한 것도 큰 영향을 미쳤다. 페이스북은 2007년 선두 업체인 마이스페이스를 제쳤다. API를 공개하면서 현재 인스타그램, 플리커, 팜빌, 시티빌 등 수많은 프로그램과 게임들이 페이스북과 트위터에서 실행되기 시작했다.

국내에서는 뒤늦게 API 공개 흐름에 참여했고, 현재까지도 미진한 편이다. 2012년 2월 기준으로 공유자원포털 상의 서비스제공통계에 따르면 국내에서 제공하는 API는 총 191가지다. 제공 기관과 사업자는 농림수산식품부(33가지), NHN(27가지), 다음커뮤니케이션(18가지), 행정안전부(15가지), 한국정보화진흥원(10가지) 등이다. 해외 오픈 API 현황은 프로그래머블웹 을

통해 확인할 수 있다. 이 사이트에 따르면 영미권 정부와 인터넷기업이 공개한 오픈 API는 5039개에 달한다. 한국 정부가 제공하는 오픈 API는 공공취업정보, 식품안전정보, 보육정보, 기상정보, 교통정보 등이지만, 제공하는 정보의 종류도 적을 뿐더러 개발자들이 이런 현황 자체를 모르는 경우가 많다.

다시 '서울버스' 앱 사건이 준 두 번째 시사점으로 돌아가면 정보의 공개범위가 향후 중요한 문제로 떠오를 가능성이 크다. 서울버스 사건에서 경기도청은 "공공정보는 사적인 이익을 위한 목적으로 활용될 수 없다"는 원칙을 고수했다. 이는 일견 맞는 말이다. 하지만 이런 입장을 고수한다면 공공정보의 활용 주체는 정부밖에 될 수 없다. 또한 임의적으로 특정 기업에 독점적 사용권을 준다면 이는 또 다른 특혜로 전락할 가능성이 크다. 이렇기 때문에 아예 공공정보를 특정 기업에 줘서 '새로운 이해관계'를 만들지 말자고 주장하는 전문가들이 있다. 주로 정부2.0 프로젝트에 참여하는 이 전문가들은 정보의 특성과 민감도, 개인정보 침해여부 등을 고려해 공개 범위를 결정하자고 주장한다.

국내 공공분야 빅 데이터 활용 시 경제효과 10.7조원

'서울버스' 앱처럼 공공정보로 편리한 서비스를 만드는 것은 얼마든지 가능하다. 대통령소속 국가정보화전략위원회는 11월 2일 이명박 대통령에게 '빅 데이터 활용을 통한 스마트 정부 구현안'을 보고했다. 이 보고에서 이각범 위원장은 "폭증하는 데이터가 경제적 자산이 되는 시대이기 때문에 정부가 능동적으로 빅 데이터를 활용하고 국가지식정보 플랫폼을 만들어야 한다"고 밝혔다. 계획에 따르면 국가지식정보 플랫폼은 1068종 공공지식정보 가운데 351종을 2013년까지 민간에 전면 공개하고 이를 통해 창출되는 경제적 부가가치는 10조 7000억 원에 달할 것으로 기대하고 있다. 어떻게 이런 결과가 가능할까? 보고서는 빅 데이터의 활용을 통해 국가안보를 강화하고, 행정효율성을 높이며 새로운 비즈니스도 창출할 수 있다고 밝혔다.

재난 방재의 측면에서 빅 데이터를 활용하면 정보를 수집하는 범위가 확대되고 정보 간 연계분석과 실시간 대응이 가능해진다. 국내에서 자주 발생하는 구제역, 조류독감의 경우에도 농장에서 수집되는 정보와 축산관련 차량이동, 출입국자 등이 실시간으로 파악된다면 이상 징후 발생 시 대응속도가 더 빨라진다. 지난해 서울 도심에서 집중 폭우로 인한 침수사태가 발생했을 때는 주민에게 사전대피 공지는커녕 대로마저 침수돼 교통 혼잡이 극심했다. 오히려 트위터를 통해 시민들이 자발적으로 지역별 피해현황을 알렸고, 이를 확인하고서 대피하거나 침수지역을 우회하는 등의 조치가 이뤄졌다. 만일 기상청이 수집하는 기상정보, 경찰청이 각 도로에 설치된 CCTV로 파악하는 교통정보, 인공위성 등에서 보내오는 정보와 SNS에 시민들이 올리는 정보 등이 서로 연계 분석됐으면 보다 나은 대응이 이뤄질 수 있었다. 미국은 재난관리 오픈소스 플랫폼 우샤히디 를 운영 중이다. 이 플랫폼을 통해 자연재해에 대한 정보를 실시간으로 취합해 구호, 예보 등에 활용하고 있다.

빅 데이터를 국가안보에 가장 잘 활용하는 국가는 미국이다. 미국은 본토방어를 위한 정보부문에 연간 200조 원 이상을 투입하고 있다. 특히 신문, 잡지, 인터넷 뿐 아니라 SNS에서 수집되는 정보까지 실시간으로 분석해 테러의 동향과 징후를 사전에 예측한다. 금융사기를 방지하는데도 빅 데이터 분석이 활용된다. 테라데이터와 SAS는 '자금세탁방지'와 '신용위험관리' 등 금융사기와 리스크 관리를 위한 데이터 솔루선을 공급하고 있다.

행정효율성도 크게 높일 수 있다. 앞서 지적했지만 빅 데이터를 활용하면 물가를 파악하는 방식이 완전히 바뀔 수 있다. 기획재정부, 관세청, 국세청, 공정위 등 현재 관계부처와 유통 업체의 협력을 통해 물류 체계를 좀 더 엄밀히 파악하면 물가변화를 세밀하게 포착할 수 있을 뿐만이 아니라 세원 확보 등에도 도움이 된다. 또한 이 정보를 공개하면 물류와 마케팅을 혁신하는 자료로도 활용될 수 있다. 심지어 농축수산물의 원산지를 확인하는 자료로도 활용될 수 있다.

좀 더 효율적인 교통, 항만체계를 갖추기 위해서도 빅 데이터가 활용된다. 안철수 교수는 과거 인터뷰에서 "노상 주차장에 센서를 설치해 공공데이터로 만들면 시민들이 스마트폰으로 어디에 주차장이 있고, 주차공간이 얼마나 남아있는지 확인할 수 있다"고 밝힌 바 있다. 이런 아이디어 역시 빅 데이터 수집과 분석을 거쳐야 실행이 가능하다. 또한 교통 부문에서 실시간으로 교통량을 확인해 이를 운전자들에게 전달하고, 이를 교통신호 체계에 반영한다면 차량운행이 더 원활해질 수 있다. 항만체계에서도 흩어져 존재하는 선박 운항정보를 통합 분석하면 선박의 운항안전성을 높이고 연료비도 아낄 수 있다.

시대의 화두가 된 복지 분야에도 상당한 진보가 가능하다.

사실 복지의 기본은 국민들에게서 조성한 국가 재원을 필요한 사람들에게 적절히 배분해 모두가 인간적인 삶을 살 수 있도록 하는 것이다. 하지만 '누가', '얼마나' 복지를 필요로 하고 그 복지를 '어떤 형태'로 제공하느냐가 관건이다. 예를 들어 기초생활수급자가 되려면 여러 까다로운 자격조건들을 충족해야 한다. 4인 가구의 경우 소득이 149만 원 미만이어야 하고 6인 가구의 경우 소득 204만 원 미만이어야 한다. 소득이 적더라도 재산이 많으면 수급자 자격에서 제외되고 반드시 부양해야 하는 부양의무자가 없는 경우엔 자격조건이 더 강화된다. 이처럼 자격조건을 깐깐하게 만든다고 해서 지원이 꼭 필요한 사람만 돈을 받게 될지는 의문이다. 가족 중에 질병을 가진 사람이 있을 수도 있고 이미 빚진 돈이 많아 이자를 상환하는 데만 상당한 돈을 쓰는 사람이 있을 수 있다. 현재 복지제도는 이런 여러 가지 상황을 다 감안하기가 어렵다. 마찬가지로 주택공급을 위한 복지로는 한국주택금융공사가 제공하는 전세자금 대출이 있다. 연소득이 일정 수준 이하일 경우에 연 5%대의 싼 금리로 대출받을 수 있는 제도이지만 최근 저소득층의 주거형태로 자리 잡는 월세에 대해서는 대출지원이 없다. 대개 월세를 얻을 때도 상당액의 보증금을 내는 것을 감안하면 현실을 제대로 반영하지 못하는 복지인 셈이다. 이 외에도 연간 92조 원에 달하는 복지재

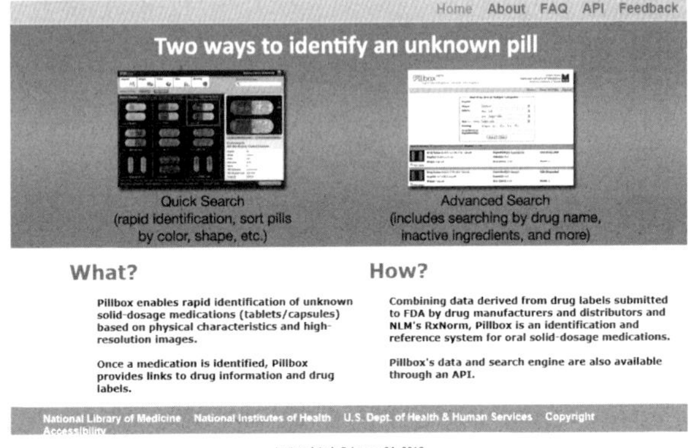

정이 꼭 필요한 곳에 제대로 사용되는지는 제대로 분석을 해 볼 필요가 있다. 복지 수요자들의 정보를 좀 더 다면적으로 수집하면 보다 수요맞춤형 복지가 가능해진다.

해외에서는 공공정보를 활용한 새로운 서비스 창출에 힘을 쏟고 있다. 독일연방노동기구는 실업자의 이력과 고용주의 수요에 대한 데이터를 분석해 고용중재서비스를 제공하고 있다. 이 서비스를 통해 독일 정부는 3년간 100억 유로 가량을 절감했다고 평가하고 있다. 또한 오바마 정부는 필박스 라는 서비스를 국립보건원 홈페이지 를 통해 제공하고 있다. 필박스란 인터넷으로 알약이나 캡슐약의 모양, 색깔, 이름 등을 통해 약의 성분과 특성 등을 조회할 수 있고 API를 공개해 민간 사업자들이 자유롭게 스마트폰 앱 등을 만들게 하는 서비스다. 필박스는 단순히 약에 대한 정보 접근성을 높인 것 이상의 의미가 있다. 어느 지역의 사람들이 어떤 종류의 약을 얼마나 자주 찾는지도 알 수 있기 때문이다. 필박스에서 검색된 데이터를 바탕으로 미국 연방 정부는 후천성면역결핍증 등 관리 대상인 주요 질병의 분포와 연도별 증가 등에 대한 통계를 확보하기도 한다. 오바마 정부는 필박스 서비스로 인해 연 5000만 달러의 복지예산 절감효과가 있다고 밝혔다.

필박스는 의료정보를 활용하는 하나의 사례에 불과하다. 미국 정부는 의료부문에서 데이터의 공유와 분석이 활발해질 경우 연간 3300억 달러의 비용을 절감할 것이라고 예측했다. 특히 의료정보는 민감한 개인정보이기 때문에 병원 간의 공유조차 어렵다. 하지만 개인정보를 보호한다는 전제로 의료기관 별 환자의 유형, 진료방법, 투약시기와 효능 등을 수집해 분석할 수 있다면 엄청난 부가가치 창출이 가능해진다. 환자 입장에서도 비싸지만 효과가 적은 약물의 리스트를 확인하고 의료비용을 줄일 수 있다.

현재 빅 데이터 분석이 제대로 적용되지 못하는 단적인 분야는 DNA 분석이다. DNA 정보는 2010년 100테라바이트에서 2020년 1엑사바이트로 늘어날 것으로 예상되고 있다. 특히 차세대 염기서열 해독장치의 개발로 DNA 분석을 통한 질병진단과 치료가 더 활발해질 전망이지만 국내에서는 DNA 데이터의 보존과 활용은 선진국의 100분의 1 수준이다.

빅 데이터와 민주주의가 무슨 상관?

빅 데이터 책을 쓰면서 민주주의까지 얘기하면 어쩌면 좀 과하다고 볼 수도 있다. 하지만 이 둘은 전혀 별개의 문제가 아니다. 정부가 국민을 통치하는 주된 수단은 바로 '정보'이고 빅 데이터는 정보를 어떻게 활용할 것인가에 대한 새로운 접근방식이기 때문이다. 사실 정부는 세금을 걷고 국민들에게 영향력 있는 정책을 실행하기 위해 수많은 정보가 필요하다. 국가는 국민들이 몇 명이 있고 각 개인들이 어디에 살며 어느 직장에 다니는지 남자인지 여자인지 소득은 얼마이고 나이는 얼마나 되는지를 어느 정도 파악해야만 하는 것이다.

하지만 좀 다르게 생각해보면 정보를 수집하고 조회하는 방향이 일방적이란 것을 알 수 있다. 개인들에 대한 정보를 수집하는 주체는 국가이며 이 정보를 바탕으로 수사를 하고 과세를 하고 처벌을 하는 기관도 국가다. 그리고 수사, 과세, 처벌을 하려면 반드시 수반되는 것이 바로 정보의 '분석'이다.

그렇다면 정보가 수집되고 조회하는 방향을 좀 바꾸면 대중에 대한 대중의 감시, 국가에 대한 대중의 감시가 활성화될 수 있다. 이것이 바로 빅 데이터가 민주주의에 기여할 수 있다고 주장한 이유다. 일단 정부가 정보 독점을 생각보다 많은 부문에서 개혁이 가능하다. 국가가 가진 엄청난 규모의 빅 데이터를 수집과 동시에 공유하는 시스템을 갖추고 지금까지 일일이 공개하지 않았던 행정에 대한 정보를 공유하는 것이 시작이다. 특히 국가안보상 기밀과 국민들의 개인정보를 보호하는 선에서 빅 데이터를 공유하는 시스템을 전향적으로 고려할 필요가 있다.

예를 들어 가장 쉽게 효과를 기대할 수 있는 분야가 정부 예산의 사용, 즉 세출 이다. 현재 세출을 감시하는 기구는 국회 예산결산위원회, 감사원, 지자체 의회 등이다. 하지만 이 기관들은 세출에 대해 전담하는 기관이 아니기 때문에 실제로 감시가 제대로 안 되는 영역이 많다. 주변에서 불필요하게 보도블록을 바꾸기도 하고 공공기관이 불필요해 보이는 행사를 개최하기도 하며 이해할 수 없는 일에 큰돈을 쓰기도 한다. 실제로 세금 낭비에 대한 불신은 뿌리 깊다. 흔히 '혈세를 낭비한다'는 말을 쉽게 하는 것처럼 말이다. 문제는 이런 상황인데도 제대로 감시하는 기관이 없고 언론도 세출에 대해 제대로 감시하기 어렵다. 그나마 국회에서 9년 전 국회예산정책처 를 만들어 연구 인력 100여 명이 활발한 연구와 감시를 하고 있다.

하지만 보다 확실한 방법은 국가 예산의 집행내역을 부처별, 지자체별로 투명하게 공개하는 것이다. 이런 내용을 공개하는 플랫폼을 만들고, API를 통해 관련 프로그램, 스마

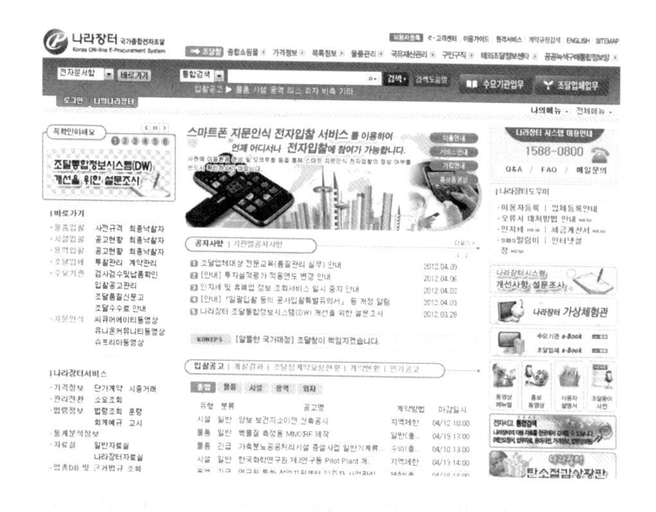

트폰 앱 등을 만들 수 있게 한다면 공공정보 전용 SNS도 출현할 수 있다. 또한 세출에 대한 데이터를 분석해 어떻게 하면 효율적으로 국가예산을 집행할 수 있을지를 연구하는 민간단체나 연구기관도 더 많아질 것이다.

국가는 봉급 생활자의 '투명한 지갑'을 모두 확인하고 세금을 원천징수한다. 하지만 거꾸로 정부에게 들어가는 돈은 국민들이 보기에 굉장히 '불투명한 지갑' 안에서 어떻게 사용되는지 알기가 어렵다. 따라서 국가안보와 개인정보 등 꼭 필요한 경우를 제외하고 세출을 전향적으로 공개하는 것이 바람직하다.

세출을 예로 들었지만 정부가 국민에게 정보접근성을 높여야 하는 것은 이뿐만이 아니다. 국가에서 발주하는 사업은 현재 조달청의 나라장터 사이트 에서 관리되고 정보가 공개된다. 예를 들어 국토해양부에서 '우면산 터널에 대한 비용편익분석'에 대한 연구를 어느 기관에 '얼마'를 주고 맡겼다는 것이 이 사이트에서 공개된다. 하지만 해당 사이트에서 정보를 조회하려면 복잡한 절차를 거쳐야 하고 '액티브엑스 ' 등 각종 프로그램을 컴퓨터에 설치해야만 한다. 게다가 오전 9시부터 오후 6시까지 업무시간에는 조회되는 정보의 양이 제한되기도 한다. 이런 시스템을 아예 API 형식으로 만들면 각종 응용프로그램과 앱들이 등장할 것이고 정부 발주사업의 투명성은 더 높아질 것이다.

대법원 등기소 사이트에서 공개하는 부동산과 법인의 등기정보도 마찬가지다. 흔히 부동산 거래를 하기 전이나, 어떤 법인과 거래를 하기 전에 '소유주가 확실한지', '채무관계가 어떻게 되는지' 등을 확인하기 위해 등기부 등본을 열람하는 것이 바람직하다. 정부는 개인들의 사유재산을 보호하고 거래의 불확실성을 줄이기 위해 이런 서비스를 제공한다. 현재 이 사이트도 인터넷 익스플로러를 통해서만 돌아가고 열람하는 비용도 건당 500~800원 가량 된다. 이런 정보는 모든 인터넷 브라우저를 통해서 열어볼 수 있게 만들고 과감하

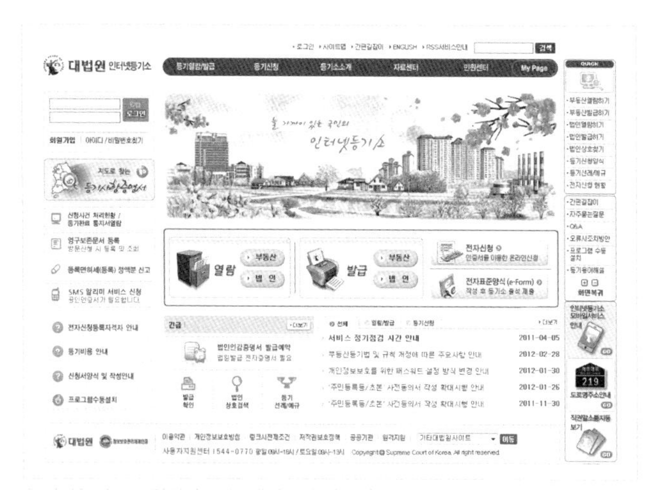

등기부등본을 열람할 수 있는 대법원 홈페이지(http://www.iros.go.kr)

게 정보를 무료나 가격을 낮춰 API 형태로 만드는 것이 애초의 서비스 제공 목적을 살리는 길이다.

한 가지 더 예를 들자면 각 지자체 의회에서 논의되고 의결되는 사안에 대해서도 API로 만들 필요가 있다. 국회에도 제대로 감시되지 않는 영역이 꽤 있지만, 그래도 많은 언론이 주목하는 편이다. 하지만 지역에서 중요한 사안들이 결정되고 때론 많은 돈이 들어가는 정책을 집행하면서도 지자체 의회에 대한 관심이 턱없이 부족하다. 시의회나 도의회는 그나마 관심을 받기도 하지만 그보다 더 작은 단위인 구의회나 군의회 등은 관심의 사각지대다. 따라서 이런 곳에서 결정되는 사안을 API로 만든다면 이를 가공해 더 쉽고 접근성이 높은 서비스로 재탄생시킬 수 있다. 이처럼 '모든 정보는 서비스가 될 수 있다'는 자세를 가지는 것이 중요하다.

정부가 가진 빅 데이터를 국민에게 공유하면 정부운영의 효율성을 높이고 행정을 투명화하는 두 마리 토끼를 잡을 수 있다. 또한, 투명한 정부운영은 민주주의 발전에도 이바지한다.

빅 데이터로 검찰, 국세청 개혁도 가능

흔히 '검 '에 비유되는 정보기관은 시대를 막론하고 항상 가장 힘이 센 기관으로 분류되어 왔다. 미국 중앙정보국 과 연방수사국 뿐 아니라 민주화 이전 한국의 중앙정보부, 안기부를 거쳐 지금의 권력기관(검찰, 국세청, 국정원, 감사원, 경찰)에 이르기까지 모두 일반인들이 쉽게 접근하기 어려운 정보를 다루는 곳이다. 빅 데이터 시대에 이 기관들의 정보력은 더 커졌다. 이제 수사기관은 영장을 발부받으면 개인들이 스마트폰을 사용한 기록, 신용카드로 결제한 기록들도 들여다 볼 수 있다.

문제는 이 기관들의 중립성이다. 정권마다 차이는 있지만 어느 정권에서나 이 기관들의 중립성은 문제가 됐다. 사실 누가 집권하든 중립성 논란은 피할 수 없다. 힘을 가진 집단이 자기 입맛대로 이 기관들을 다룰 것이라는 의심을 피하기 어렵기 때문이다.

하지만 빅 데이터를 접목하면 권력기관의 개혁도 일정부분 가능하다. 검찰, 국세청, 감사원, 국정원 등 권력기관의 공통점은 위계질서가 강하고 이를 바탕으로 의사결정이 일원화돼 있으며 한 기관이 해당 분야의 정보를 독점한다는 것이다. 앞서도 누차 강조했듯이 빅 데이터란 단순히 많은 정보를 의미하는 것이 아니라 정보를 활용하는 시스템 차원의 개혁을 의미한다. 이런 시각에서 본다면 검찰, 국세청, 감사원, 국정원에 빅 데이터를 적용해 수집하는 정보에 대해 공유하고 모니터링 하는 시스템을 만들 수 있다. 워낙 민감한 정보가 많기 때문에 모든 국민들에게 공유하기는 어렵더라도 이를 감시하는 기구나 인력을 따로 배치하는 것은 고려해볼 만하다. 이렇게 해서 이 기관들이 어떤 정보를 수집하고, 그것을 바탕으로 어떤 사안을 적극적으로 조사, 수사하는지 어떤 사안에 대해서 제대로 조사하지 않고 덮는지 등을 모니터링하면 권력기관에 대한 국민의 신뢰가 더 높아질 것이다. 과거와는 다르게 이 기관들이 수집할 수 있는 정보의 양이 비약적으로 늘어났고 그 정보는 개인들의 일상생활의 세세한 내용들까지 포함하고 있다. 따라서 이 기관들이 받는 견제의 강도도 이전과는 달라야 한다.

빅 데이터의 강자

클라우드 업체

빅 데이터의 화두를 가장 먼저 꺼낸 업체들은 IBM, HP, 오라클, EMC, MS, SAP, SAS 등 기업용 서버 컴퓨터와 솔루션을 제공하던 업체들이다. 이 업체들의 사업모델 자체가 기업들이 가진 데이터를 관리, 분석하는 컴퓨터와 소프트웨어를 판매하는 것이기 때문에 사업적인 목적을 위해서 클라우드, 빅 데이터 등의 트렌드를 이끌어왔다. 빅 데이터 시대가 오면 가장 먼저 수혜를 받을 것으로 기대되고, 그만큼 경쟁도 치열해지고 있다.

잠시 클라우드와 빅 데이터에 대해 설명하자면 클라우드란 네트워크상에 프로그램과 데이터를 저장하고 언제 어디서나 접속해 사용할 수 있는 서비스를 가리킨다. 기업 입장에서는 자사의 컴퓨팅 자원(서버, 스토리지, 미들웨어) 등을 자체 데이터센터와 외부 전문 업체에 분산해서 필요한 양만큼 사용하는 서비스다. 개인 입장에서는 전문 클라우드 업체에 데이터를 저장하고 언제 어디서나 컴퓨터, 스마트폰, 태블릿PC 등으로 접속해 사용할 수 있는 서비스가 클라우드다. 구름과 같은 무형의 형태로 존재하기 때문에 클라우드라고 불린다. 사실 클라우드가 등장한 배경에는 데이터의 폭증이 자리잡고 있다. 많아진 데이터를 네트워크 기술을 통해 분산, 저장해 가장 효율적으로 관리하려는 서비스가 바로 클라우드다. 따라서 기업용 솔루션을 제공하던 업체들이 과거엔 클라우드를 선도적으로 제시하고 2011년부턴 빅 데이터를 화두로 내세운 것은 어찌 보면 너무나 당연한 일이다.

클라우드 업체 중 가장 먼저 눈여겨볼 업체는 IBM이다. 설립된 지 100년이 넘은 오래된 기업 IBM은 누구보다 빠르게 변신하는 기업이기도 하다. 개인용 컴퓨터 시대를 연 주역이면서 2005년엔 PC사업부를 레노보 에 매각했고 기업용 솔루션 분야에만 집중했다. 그 이후 클라우드 컴퓨팅과 빅 데이터라는 이슈도 선도적으로 제시했고 그냥 제시하는 것이 아니라 막대한 투자를 단행하며 인수합병에 나섰다. 2010년 10월 데이터 분석기술에 특화된 네티자 를 17억 달러에 인수한 것을 비롯해 5년 동안 140억 달러 이상을 투자해 데이터 분석과 관련된 업체 24개 업체를 인수했다.

IBM은 기업에 데이터 분석제품을 판매할 뿐 아니라 직접 데이터 분석을 통해 새로운 가치를 창출하는 모델을 제시해 왔다. 2008년부터 추진한 '스마터 플래닛 ' 전략이 대표적이다. 이는 IT 기술을 금융, 유통, 통신, 물류, 보건, 에너지, 환경 등 다양한 분야에 적용해 낭비와 비효율적인 요소를 줄이자는 전략이다. 이처럼 각 분야에 IT 기술이 접목되면 데이터가 생성되고 이를 관리하고 분석하는 기술이 중요해진다. 즉 스마터 플래닛의 핵심이 빅 데이터인 셈이다. 물사업에 뛰어든 것도 빅 데이터와 밀접한 관련이 있다. IBM은 2009년 센서를 활용해 수도파이프, 저수조, 강, 항만시설을 모니터링하는 시스템을 개발했다. 예를 들어 홍콩에 새로 건설된 다리에는 1000개의 센서가 부착되어 있다. 이 센서에서 수질과 수량 등의 데이터들이 실시간으로 수집된다.

화제를 모으고 있는 인공지능 컴퓨터 왓슨 도 빅 데이터 기술을 적용한 사례다. IBM이 개발한 왓슨은 2011년 2월 미국의 인기 퀴즈쇼 제퍼디! 에 출연해 퀴즈 달인들을 물리치고 우승을 차지해 유명해졌다. 왓슨은 3초에 약 2억장 분량의 자료를 읽고 이해할 수 있는데 이미 2011년 9월부터 미국의 의료보험 업체인 웰포인트 에 도입돼 수백만 건의 의료특허 문헌을 분석하는 데 활용됐다. 2012년부터 왓슨은 월가에도 고용됐다는 보도가 나왔다. 왓슨이 씨티은행

에 도입돼 투자정보 등을 실시간으로 분석하는데 활용될 것이란 전망이다. IBM은 시티은행과 손을 잡고 금융용어와 경제관련 뉴스 등을 왓슨에게 입력 중이다. 이처럼 빅 데이터 제품과 서비스를 선도적으로 제시한 IBM은 시가총액 부문에서 2011년 MS를 제치고 IT 기업 중에는 애플에 이어 2위로 올라섰다.

기존 데이터베이스의 강자 오라클도 빅 데이터에 강점을 지닌 업체다. 오라클은 2007년 데이터 분석에 강점을 가진 기업 하이페리온 을 33억 달러에 인수했고 2011년엔 73억 달러에 썬 마이크로시스템즈 를 인수하며 하드웨어 부문을 강화했다. 이렇게 준비한 끝에 2011년 10월에 출시한 제품이 빅 데이터 어플라이언스Big Data Appliance다. 이 제품은 이미지, 웹기록, 비디오파일, 소셜미디어, 텍스트 등 그동안 제대로 분석할 수 없었던 형식이 일정하지 않은 데이터(비정형데이터)를 분석할 수 있다.

HP는 2011년 버티카시스템즈Vertica Systems와 오토노미Autonomy를 인수하며 빅 데이터 역량을 강화했다. 특히 오토노미를 인수하는 데에는 102억 달러라는 거금을 들였다. 오토노미는 영국의 최대 소프트웨어 업체로 클라우드 서비스와 데이터 분석에 강점을 지닌 업체다. HP가 인수 후 내놓은 '아이돌10'과 'HP 소셜인텔리전스 솔루션HP Social Intelligence Solution'은 텍스트, 비디오 등의 데이터와 소셜미디어에서 생성된 데이터를 분석해 서비스 개선, 브랜드 관리 등에 활용할 수 있다.

EMC는 빅 데이터 시대의 도래를 환영하는 기업이다. 과거에는 데이터 스토리지(저장공간) 공급회사로 주로 인식되던 EMC였지만 빅 데이터 시대를 맞아 데이터 전문 업체로 변신 중이다. EMC는 2003년 VM웨어(VMware)를 6억 달러에 인수한 것을 시작으로 10여 년 동안 50여 개의 데이터 관련 업체를 인수했다. 인수자금으로 쓴 금액만 140억 달러에 달한다. 2010년엔 아이실론Isilon과 그린플럼Greenplum을 인수하며 클라우드, 빅 데이터, 보안 산업 등 세 분야를 동시에 노리고 있다.

세계 최대 비상장 소프트웨어 기업이자 빅 데이터 이슈가 떠오르기 이전 분석 분야의 최대 소프트웨어 기업이던 SAS는 한 분야에 30여 년간 집중해온 경쟁력으로 꾸준히 매출이 늘고 있다. SAS는 2011년 매출 27억 달러를 기록해 전년대비 12% 늘었고, 36년째 흑자를 기록했다. SAS 역시 2008년 텍스트마이닝 업체 테라그램 , 매출분석 소프트웨어 업체 이데아스 를 인수하며 분석 역량을 보강해왔다. SAS가 자랑하는 기술은 고도의 분석 작업을 빠른 속도로 할 수 있는 인메모리 분석 이다. 한국석유공사가 제공하는 유가예보 시스템도 SAS와 협력을 통해 만들어진 것이다.

이처럼 클라우드 분야에 진입한 업체들이 앞다퉈 빅 데이터를 분석하는 제품들을 출시하고 있다. 하지만 안타까운 것은 한국 기업의 진출이 거의 전무하다는 점이다. 한국에는 기업용 서버, 솔루션 분야에서 제대로 사업을 하는 기업이 없고 마찬가지로 빅 데이터 분야의 소프트웨어, 하드웨어 분야에서도 뒤처지고 있다. 다만 데이터를 활용해 새 비즈니스 가치를 창출하는 것은 대부분의 기업들이 출발선상에 서 있다.

데이터 사이언티스트 10년 내 30만 명 부족

기업들이 빅 데이터 사업을 확대하면서 관련 인력의 수요도

급증할 것으로 예상된다. 전략컨설팅 업체 맥킨지 는 2018년 미국에 분석전문가가 44~49만 명 필요하지만 관련 학과 졸업생은 18만 명으로 추산했다. 30만 명가량이 부족할 것이라는 예측이다.

빅 데이터 시대를 맞아 '데이터 사이언티스트 '가 미래 유망직종으로 부상하고 있다. 데이터 사이언티스트는 빅 데이터에서 유의미한 무언가를 찾아내는 사람을 의미한다. 따라서 기존 데이터베이스를 다루는 인력도 필요하지만, 경제학자, 심리학자, 사회학자 등 보다 다양한 배경을 가진 사람들을 필요로 할 전망이다. IT 블로거로 유명한 척 홀리스 EMC 부사장은 '2012년 IT 10대 예측'을 발표하면서 '데이터 사이언티스트의 높은 인기'를 네 번째 주요 전망으로 적었다. 앞서 예를 들었던 〈머니볼〉에서 야구 데이터를 분석해 '저평가 고효율' 선수를 영입했던 오클랜드 애슬레틱스의 직원이 대표적인 데이터 사이언티스트다. 이베이에서 고객의 구매정보를 분석하거나 넷플릭스에서 시네매치 서비스를 개발하는 인력도 모두 이 직종에 속한다.

향후 소프트웨어 산업의 중심축이 빅 데이터로 이동할 것이란 전망도 있다. 카이스트 소프트웨어대학원의 김진형 교수는 "빅 데이터 분야에서 소프트웨어 전문가들의 일자리가 많이 창출될 것"이라고 예상했다.

빅 데이터 플랫폼 경쟁

온라인에서 뜨는 분야가 생기면 반드시 따라오는 것이 있다. 바로 플랫폼 경쟁이다. 운영체제 시장에선 MS의 윈도우가 시장을 지배하자 전 세계 프로그래머들이 오픈소스로 만든 리눅스가 경쟁 운영체제로 떠올랐다. 참고로 오픈소스란 프로그램을 구성하는 내용물(소스코드)을 모두에게 공개하는 것을 의미한다. 이렇게 소스코드가 공개되면 전 세계 개발자들이 직접 사용하면서 문제점을 바로바로 수정하기 때문에 개선과 수정의 속도가 빠르다. 반면 일관성 있게 개발의 방향을 이끌기는 어려운 단점이 있다.

온라인 분야에서 플랫폼 경쟁은 대부분 일반 기업과 오픈소스 진영이 경쟁하는 양상을 보여왔다. 서버 컴퓨터의 운영체제로는 오픈소스인 유닉스 가 먼저 시장을 지배하자 MS가 윈도우 애저 를 출시해 경쟁하기 시작했다. 인터넷 시대가 열리면서 웹 브라우저 시장에서 넷스케이프 가 시장을 잠시 지배했고 곧 이어 MS가 인터넷 익스플로러를 윈도우에 끼워 팔아 앞서나가기 시작했다. 인터넷 익스플로러의 독주는 수년간 뚜렷한 경쟁자 없이 지속했고 그러자 웹 브라우저의 발전 역시 중단됐다. 경쟁이 없기 때문이었다. 이를 보다 못한 전 세계 소프트웨어 개발자들은 오픈소스로 웹 브라우저 파이어폭스 를 만들어 경쟁에 나섰다. 그리고 구글은 파이어폭스의 장점을 참고해 오픈소스로 다시 웹 브라우저 크롬 을 만들어 빠르게 점유율을 확대하고 있다. 마찬가지로 스마트폰이 부상하자 아이폰의 iOS에 경쟁하기 위해 구글이 오픈소스로 안드로이드 운영체제를 만들어 무료로 배포하기 시작했다. 안드로이드는 이미 점유율 부문에서 iOS에 제쳤다. 이렇듯 온라인 업계에서 새롭게 부상하는 분야가 생기면 IT 업체들은 플랫폼 경쟁에 사활을 건다. '플랫폼을 장악하는 기업이 시장을 지배한다'가 IT 업계의 정설로 통하기 때문이다. 직접 플랫폼 경쟁에 뛰어들지 않더라도 삼성전자나 노키아처럼 어떤 플랫폼을 사용할지를 선택하는 것도 굉장히 중요한 사업적 판단이다.

오픈소스 하둡 vs 구글 빅쿼리

빅 데이터 분야에서도 플랫폼 경쟁이 치열해질 조짐이 보이고 있다. 지금까지 빅 데이터 분야의 플랫폼으로 자리매김하는 기술은 오픈소스로 만들어진 하둡이었다. 하둡은 과거 구글이 만든 맵리듀스와 구글파일시스템 등을 참고해 여러 프로그래머들과 온라인 업체들이 만든 대용량 분산파일시스템이다. 쉽게 얘기하면 데이터에서 의미 있는 정보를 추출해 분석, 저장하는 빅 데이터 처리기술이다. 구글, 야후, 페

빅 데이터 처리기술로 초기 플랫폼을 선점한 하둡.
하둡은 오픈소스로 누구에게나 무료로 제공된다.

이스북, 아마존 등 인터넷 업체들이 대용량의 데이터를 관리하면서 스스로의 필요에 의해 연구하고 적용해 온 플랫폼이기도 하다. MS 역시 2012년 초 빅 데이터의 표준플랫폼 기술로 하둡을 선정했다.

야후는 아예 새 먹거리로 하둡을 지목했고 실리콘 밸리 에선 야후가 하둡 소프트웨어 엔지니어링 사업부를 분사할 것이란 전망도 나오고 있다. 실제로 야후는 하둡을 적용한 분석솔루션인 코어 데이터 시각화 서비스 를 만들었다. 이 사이트에 들어가면 야후 첫 페이지의 뉴스를 읽은 사람들에 대한 통계가 실시간으로 공개된다. 어느 지역의 사람들이 어떤 뉴스를 많이 읽었는지 성별과 연령대 등도 분석이 가능하다. 하둡은 오픈소스이기 때문에 신생 업체들이 빅 데이터를 분석하는 비용도 크게 낮추고 있다. 과거에 빅 데이터를 분석하려면 IBM, 오라클, 테라데이터 등으로부터 서버와 분석솔루션을 수백만 달러로 구입해야만 했다. 하지만 하둡 덕분에 업체가 가지고 있는 기존 서버자원으로도 어느 정도 빅 데이터 분석을 시도해볼 수 있다.

빅 데이터 기술로 재도약을 노리는 야후가 뉴스에 대한 실시간 통계를 코어데이터 시각화 서비스를 통해 제공하고 있다.(http://visualize.yahoo.com/core/)

하둡보다 나은 빅 데이터 플랫폼을 만들기 위한 움직임도 가시화되고 있다. 구글은 1년여간 비공개 시험판으로 운영하던 빅 데이터 분석플랫폼 빅쿼리 를 2011년 11월에 선보였다. 구글의 빅쿼리는 압축하지 않은 데이터를 최대 70테라바이트까지 읽을 수 있고 인터넷을 통해 데이터 분석을 의뢰하고 결과를 뽑아낼 수 있다. 구글은 "웹사이트를 방문한 이용자들의 구매패턴을 분석해 더 나은 제품을 권할 수 있는 온라인 소매업을 상상해 보라"며 "빅쿼리가 이런 환경을 가능케 도와준다"고 밝혔다. 구글은 하둡의 모태가 되는 기술인 GFS, 맵리듀스 등을 만들었지만 이제는 하둡을 뒤따라가는 상황이다. 하지만 검색엔진과 웹 브라우저, 모바일 운영체제에서도 후발주자로 뛰어들어 빠르게 점유율을 확

대해 나갔기 때문에 앞으로 어떻게 경쟁양상이 전개될지는 쉽게 예측하기 어렵다.

검색엔진 1세대 기업인 야후와 구글이 오랜만에 경쟁하는 양상을 보이는 분야가 바로 앞서 소개한 빅 데이터 플랫폼이다. 모바일 시대에 인터넷 강자로 등장한 페이스북, 트위터 등도 데이터 역량 강화에 관심을 쏟고 있다. 초당 테라바이트의 정보가 생성되는 페이스북은 데이터 저장과 분석 플랫폼을 직접 개발하고 있다. 실제 페이스북이 데이터 분야에 투자하는 금액은 천문학적이다. 2011년에는 스웨덴 북부 지역에 대규모 데이터센터를 건립하면서 9000억 원을 투자했다.

직접 소셜 애널리틱스 서비스를 내놓은 업체도 있다. 포토샵으로 유명한 어도비 와 분석용 소프트웨어 업체로 유명한 SAS는 소셜 애널리틱스 서비스를 잇따라 출시했다. 클라우드 분야에서 빠르게 부상하고 있는 세일즈포스닷컴 도 올 초 소셜 애널리틱스 업체 라디안6 를 인수했다. 국내에서도 다음소프트, 와이즈넛, 코난테크놀로지, 솔트룩스, 다이퀘스트, 프로토마 등이 소셜 애널리틱스를 통해 여론을 분석하는 서비스를 내놓고 시장에 뛰어들었다.

5

빅 데이터, 새로운 빅 브라더인가?

누군가 당신을 지켜보고 있다

빅 데이터가 분명 기존의 사업방식을 개선하고 새 비즈니스를 창출할 수 있는 트렌드이지만 항상 유용한 것은 아니다. 특히 빅 데이터가 각 개인들에게 '빅 브라더'가 될 수 있다는 우려가 커지고 있다. 이제 정부뿐 아니라 특정 기업이나 기관 혹은 개인들마저도 특정인에 대한 뒷조사가 가능한 시대가 가까워지고 있다. 빅 데이터에 개인에 대한 거의 모든 정보가 담기고 있지만 아직 관련 법제는 미비한 상황이고 논의조차 제대로 시작되지 않았다. 또한 정보가 국경을 자유롭게 넘나들기 때문에 한 국가에서만 논의하고 규제를 만든다고 해결할 수 있는 일도 아니다. 초국가적인 논의기구를 만들어야 하고 규제 역시 국경을 넘나들면서 적용될 수 있는 방안을 강구해야만 한다.

빅 데이터로부터 개인을 보호하기 위해 가장 중요한 것이 바로 '익명화 '다. 이는 빅 데이터에서 특정 개인을 식별하지 못하도록 정보를 가공하는 작업이다. 예를 들어 유통 업체의 판매기록과 카드 업체의 결제기록 등의 데이터를 활용해 물가를 파악할 수 있는 시스템을 만든다면 이들 정보에서 특정 개인이 무엇을 구매했는지 등의 데이터가 추출되지 않도록 하는 작업이다. 마찬가지로 개인의 위치정보를 수집하는 업체가 향후에 이 데이터를 공유하는 플랫폼을 만든다면 '개인이 언제 어디에 있었다'는 정보가 추출되지 않도록 하는 것도 익명화다. 현재 서비스 중인 구글어스나 다음 로드뷰 등에서 개인의 얼굴에 모자이크 처리를 한 것이 익명화가 이미 이뤄진 사례다. 반면 웹상에서 구글링을 통해 수집할 수 있는 개인정보는 아직 익명화가 제대로 되지 않은 정보들이다. 요즘은 구글링을 통해 개인의 신상을 털거나 심지어 배우자의 외도를 파악하기도 한다.

보통 익명화가 문제가 되는 건 데이터가 대중에 공개됐을 경우다. 아직까지 기업 내부에 쌓이는 정보에 대해서는 익명화를 요구하진 않고 있다. 오히려 빅 데이터가 공개되지 않을 경우엔 개인에 대한 식별이 가능해야만 경제적 가치가 커진다. 예를 들어 넷플릭스가 영화를 추천하는 시네매치나 페이스북과 구글이 개인의 취향에 맞는 광고를 노출시키는 것도 개인을 식별할 수 있기 때문이다. 오히려 식별 가능한 개인의 기록을 더 많이 확보하는 것이 기업의 전략이 되고 있다. 구글은 자사의 서비스들에서 수집되는 개인정보를 통합관리하고 로그인하는 채널을 일원화하겠다고 사용자들에게 일방적으로 발표해 전 세계에서 논란이 됐다. 하지만 이런 구글의 방침은 국내법 위반의 소지가 있다. 정보통신망법 22조에 따라 구글이 개인정보의 이용목적을 구체적으로 제시하지 않았고 개인정보의 보유 이용기간 등도 명시하지 않았을 뿐 아니라 명시적 동의절차가 제대로 갖춰져 있지 않았다는 것이다. 구글은 당초 새 개인정보 관리방침이 한국의 법을 준수하고 있다고 주장했지만 결국 정부의 지적을 받아들여 개인정보 관리방침을 수정했다.

하지만 이번 조치로 구글은 개인에 대해 더 많은 정보를 수집할 가능성이 높아졌다. 특히 구글 서비스에 대한 로그인 통합으로 인해 자신도 모르는 상태에서 로그인을 하고서 서비스들을 사용하기 쉽다. 예를 들어 G메일을 사용하기 위해 로그인을 하고서 창을 닫지 않고 유튜브를 이용하면 자신이 어떤 동영상을 봤는지 등이 구글 서버에 기록된다. 검색창에 입력하는 검색어도 마찬가지다. 이에 대해 구글측은 "로그인을 하지 않아도 기존대로 구글의 검색, 유튜브 서비스를 이용할 수 있고 자신의 검색 기록 등을 삭제할 수 있기 때문에 오히려 자기정보에 대한 통제력이 더 강해진다"고 주장한다.

애플은 아이클라우드 를 통해 개인에게 데이터 저장공간을 제공하면서 특정인이 소유한 데이터에 대한 정보도 확보하고 있다. 이처럼 구글, 애플, 페이스북 등 플랫폼 사업자들은 민간인 사찰마저 가능할 정도로 식별 가능한 개개인의 엄청난 정보를 수집하고 있다. 페이스북은 2011년 말 미국 연방거래위원회 의 권고로 개인정보 보호 개선안을 받아들였다. 이로 인해 개인정보를 광고주와 공유할 때 미리 밝히고 앞으로 20년간 독립적인 감시기구로부터 개인정보 보호에 대한 평가를 받기로 했다. 미 의회에서도 꾸준히 페이스북의 개인정보 관리 실태를 모니터링하고 있고 견제와 감시를 하고 있다. 이처럼 개인에 대한 정보를 축적하는 주체가 정부가 아니라 기업으로 바뀌고 있기 때문에 기업 내에 쌓이는 정보에서 어떻게 개인을 보호할지도 향후 중요한 화두로 부상할 것이다.

별걸 다 기억하는 사회, '잊혀질 권리' 부상

빅 데이터 시대에 떠오르는 개념 중의 하나는 '잊혀질 권리 '다. 잊혀질 권리란 인터넷이나 기업의 서버 컴퓨터에 저장된 개인에 대한 정보를 삭제하도록 요구할 수 있는 권리다. 즉 자신에 대한 정보를 직접 통제할 수 있는 권리인 셈이다. 예를 들어 구글 검색창에 자신의 휴대폰 번호를 입력했더니 이름과 주소 등의 개인정보가 노출된다면 관련 정보를 삭제하도록 요구할 수 있는 것이 잊혀질 권리다. 특히 몇 달에 한 번꼴로 'OO녀' 사건이 화제가 되는 한국 사회에서는 온라인상에서 개인에 대한 불특정 다수의 공격이 빈번하게 일어난다. 비록 잘못이 있다고 하더라도 한번 낙인이 찍힌 사람은 더 이상의 사회생활이 불가능할 정도로 잘못 이상의 사회적 처벌을 받는다. 인터넷이 없던 시절에는 기껏해야 동네에서 한번 회자될 정도의 질책을 받았을 것이다. 사람은 망각의 동물이기 때문에 개개인의 잘못과 선행 등도 시간이 지나면 잊힌다. 하지만 인터넷에서는 이런 정보가 지워지지 않기 때문에 때론 개인이 입는 피해는 상상을 초월한다. 이런 이유로 잊혀질 권리에 대한 논의가 시급하다는 여론이 형성되고 있다.

이미 유럽에서는 잊혀질 권리에 대한 논의와 더불어 법제화에 나서고 있다. 유럽연합 집행위원회는 인터넷에서 정보주체의 권리를 크게 강화하는 입법을 추진하고 있다. 사용자에게 '삭제청구권'을 부여하는 것이 골자다. 이 법안이 통과되면 신문기사, 경찰 수사기록, 의료기록 등을 제외하고는 개인이 자신에 관한 정보를 삭제할 수 있다. 이 법을 위반하면 해당 업체나 개인은 100만 유로 혹은 1년 매출액의 2%를 벌금으로 내야한다. 반면 잊혀질 권리를 지나치게 강조할 경우 언론의 자유나 인터넷의 가능성이 위축될 것이란 반론도 있다. 국내에는 이미 관련 법제가 존재한다고 보는 시각도 있다. 정보통신망법에는 온라인에 공개된 정보로 사생활 침해나 명예훼손 피해를 당한 사람은 삭제 요청을 할 수 있다. 개인정보보호법은 이 요청을 받은 사업자가 개인정보를 파기하도록 규정하고 있다.

빅 데이터 시대에 '개인정보 관리를 전담하는 비즈니스 모델'의 출현도 예상되고 있다. 자신에 대한 정보의 주도권을 확보하기 위해서 보다 전문적인 관리가 필요한 시대가 오고 있기 때문이다. 예를 들어 네이버, 구글 등에서 자신의 정보가 노출되지 않도록 관리하고 사용하지 않는 웹사이트에 저장된 개인정보를 삭제하는 역할을 주된 업무로 하는 것이다. 또한 SNS에 게시하는 내용이 노출되는 정도를 조절하거나 위치정보나 결제정보 등이 기업에서 어떻게 관리되는지를 모니터링하는 일도 필요해지고 있다.

빅 데이터, 누구의 소유인가

빅 데이터로부터 개인을 보호하기 위해서는 소유권, 접근권 등의 정리가 선행될 필요가 있다. 비록 개인정보보호법이 존재하지만 지금까지 이런 권리 관계 등이 기업과 개인 간의 계약에 맡겨두는 경우가 더 많았다. 비록 기업은 약관을 통해 개인의 동의를 구해야만 개인정보를 수집하고 활용할 수 있지만, 실제로는 요식행위에 불과했다. 개인 입장에서는 약관의 구체적인 내용을 일일이 살펴보기가 어렵고 약관에 동의하지 않고는 서비스를 사용할 수조차 없기 때문이었다. 예를 들어 휴대폰을 구매하거나 웹사이트에 가입할 때 약관에 동의하지 않으면 사용조차 할 수 없다. 이런 상황에서 빅 데이터 시대가 왔을 때 개인에 대한 정보는 더 통제 불능의 상태가 올 수 있다.

따라서 빅 데이터 시대에 맞게 개인정보에 대한 기준 자체를 새로 마련할 필요가 있다. 현재 기업이 수집한 개인정보를 얼마나 오래 보관하고 어느 정도의 수준으로 재가공을 할 수 있는지에 대한 법적인 기준이 없다. 다만 개인정보의 보유기간을 이용자들에게 미리 알리는 내용이 개인정보보호법에 있고 어느 정도 보유할지는 개인과 기업 간의 약관으로 정할 뿐이다. 몇 차례 중요한 수사기록으로 활용된 카카오톡의 메시지는 2011년 4월까지 3개월간 보관됐고 5월부터는 한 달 동안만 저장되고 있다.

수사기관에 어느 정도의 정보까지 제공해야 하는지도 논란거리다. 스마트폰이 등장한 이후 모바일 메신저 업체에 수사를 의뢰하는 사례가 부쩍 늘었다. 하지만 이에 대한 가이드라인도 없는 형편이다. 비록 수사기관이 영장을 법원으로부터 발부 받아 적법한 과정을 통해 정보를 요청한다고 해도 빅 데이터 시대엔 과거에 비해 개인에 대해 수집하는 정보의 양이 엄청나게 늘었다. 2009년 검찰이 PD수첩 여자 작가의 이메일을 언론에 공개한 것처럼 수사기관의 중립성이 의심받는 경우도 많기 때문에 이를 제대로 정리하지 않으면 네티즌들의 '사이버 망명 '을 부추길 가능성이 높다. 사이버 망명이란 이메일, 블로그 등 온라인 서비스를 사용할 때 국내법이 적용되지 않는 외국서비스를 사용하는 것이다. 이미 2008년 이명박 정부가 출범하고서 검찰이 선거법 위반혐의를 받고 있는 주경복 전 서울시교육감 후보를 수사하면서 100여 명의 이메일 7년 치를 몽땅 압수 수색을 한 데 이어 PD수첩 여자 작가의 이메일 압수 수색을 하고 언론에 공개해 네티즌들을 경악시켰으며 YTN 노조원 이메일 압수 수색과 민간인 사찰 등이 연달아 터지면서 사이버 망명이 유행처럼 번진 바 있다. 모바일과 빅 데이터에서도 사이버 망명이 이어진다면 국내 IT 산업의 성장잠재력만 갉아먹게 된다.

사이버 망명은 정보의 소유권과 접근권에도 큰 시사점을 던져줬다. 정보가 국경을 벗어나면 국내법의 적용을 받지 않는다는 것을 보여줬기 때문이다. 이는 빅 데이터에서도 중요한 주제다. 빅 데이터 수집의 주체는 주로 구글, 애플, 페이스북 등 글로벌 업체다. 애플은 아이폰 사용자가 저장한 사진과 음악마저 아이클라우드 서비스를 통해 자사의 서버에 저장하고 페이스북은 각국 사용자가 올린 글과 사진, 동영상 등을 실시간으로 저장한다. 이런 데이터들은 한국 정부와 국회차원에서 어떠한 법률과 규제를 만든다고 해도 통제가 불가능하다. 잊혀질 권리의 법제화를 추진하는 유럽연합은 해외에 서버가 있다고 해도 법이 적용된다고 명시했지만 막상 이를 실행하는 것은 또 다른 문제다. 국경을 벗어나서 강제력을 행사하기가 쉽지 않기 때문이다. 결국 빅 데이터 시대에 국가차원의 개인정보 보호 노력은 제대로 실효성을 가지기가 어렵다. 국가 수준이 아닌 유엔 등에서 국제적인 공조가 이뤄져야만 개인정보 보호가 가능하다.

빅 데이터는 분명 21세기의 원유이고 새로운 금맥임에 틀림없다. 더 많은 데이터를 확보해 잘 분석하면 분명 수익성을 제고하고 새 비즈니스를 창출할 수 있다. 하지만 활용되는 정도보다 트렌드가 부각되면 거품이 생긴다.

2008년 선풍적인 인기를 모았던 '그린에너지'가 대표적인 사례다. 당시부터 태양전지, 풍력발전기, 2차전지 등이 주목을 받으면서 해당 사업에 진출하는 기업이 크게 늘었고 주식시장에서도 주가가 크게 올랐다. 하지만 2012년 초를 기준으로 보면 해당 산업과 기업의 성과는 상당히 빈약하다. 주가도 대부분 고점대비 반 토막 수준이다. 언젠가 그린에너지가 대세가 된다는 것은 지금도 변함없는 사실이지만 2~3년 전엔 시장의 기대가 지나치게 앞섰다.

빅 데이터 역시 마찬가지다. 아직 '빅'이라고 부를 정도로 큰 데이터를 가진 업체들이 많지 않은 상황이다. 따라서 데이터를 어떻게 활용할지를 고려하지 않고 빅 데이터에 대한 투자를 단행하면 손해를 입을 가능성이 있다. 게다가 빅 데이터 화두를 가장 먼저 던진 기업들이 바로 데이터 분석장비를 만드는 IBM, HP, 오라클, SAS 등이다. 이 업체들은 데이터 분석솔루션을 판매하면 그만이다. 따라서 데이터를 분석해서 무엇을 할 것인지를 반드시 되묻고, 활용에 대한 구체적인 시나리오를 작성해야만 기업 입장에선 불필요한 투자를 막을 수 있다. 주식 등 자본시장에서도 벌써부터 빅 데이터 테마주 가 회자되고 있다. 하지만 빅 데이터 솔루션을 판매하는 기업이 국내에 없기 때문에 빅 데이터 테마주는 대부분 실체가 없다고 보면 된다.

빅 데이터란 단순히 큰 데이터를 의미하는 것이 아니라 데이터를 수집하고 활용하는 접근방식 자체의 변화를 의미한다고 설명했다. 이 책은 시종일관 데이터가 어떻게 활용될 수 있을지에 대해 말하고 있다. 빅 데이터를 하나의 트렌드로 접근할 것이 아니라 자신의 분야에서 어떻게 활용할 수 있을지를 살펴보는 게 '거품론'을 불식하는 길이라고 믿는다.

주요 참고문헌

2장

Maxwell Strachan, "**Hedge Fund Bets $40 Million That Twitter Can Predict The Stock Market**", *The Huffington Post*, 2005년 5월 25일.

John Bollen, Huina Mao, Xiao-Jun Zeng(2010), "**Twitter mood predicts the stock market**", *Journal of Computational Science*.

Brogan C., "**Acting on Customer Intelligence from Social Media**", *SAS*

『**구글 이후의 세계**』, 제프리 스티벨 저, 이영기 역, 웅진지식하우스, 2011년 8월 22일.

3장

갈길 먼 공공API 활용, 개발자들 '아쉽다', 임민철, 「지디넷코리아」, 2012년 2월 9일.

5장

잊혀질 권리, 구태언, 「법률신문」, 2012년 3월 19일.

이제는 빅 데이터 시대

추판 1쇄 발행 | 2012년 5월 5일

지 은 이 | 윤형중
펴 낸 이 | 이은성
펴 낸 곳 | e비즈북스
편 집 | 김은미
디 자 인 | 백지선

주 소 | 서울시 동작구 상도2동 184-21 2층
전 화 | (02) 883-3495
팩 스 | (02) 883-3496
이 메 일 | ebizbooks@hanmail.net
등록번호 | 제 379-2006-000010호

ISBN 978-89-92168-93-9 13320

e비즈북스는 푸른커뮤니케이션의 출판브랜드입니다.